DIE GEHEIMNISVOLLE VILLA

ESCAPE-RÄTSEL FÜR KIDS

Liebe Rätselfreunde,

willkommen in meiner riesigen Villa. Eure Neugier hat euch hergeführt – und sie wird euch auch dabei helfen, das Haus wieder zu verlassen. Das hoffe ich zumindest ...

Zum Glück seid ihr nicht alleine: Hier wird es nämlich schnell gruselig. Einige Nachbarn glauben, dass es in der Villa spukt. Ein Grund mehr, schnell wieder rauszufinden. Aber wie?

Ganz einfach: rätseln, knobeln, kombinieren.

- Jeder Raum hält ein Rätsel für euch bereit. Löst es richtig und die Tür geht auf. So rätselt ihr euch durch die ganze Villa bis ihr den Ausgang erreicht.

- Da meine Villa sehr groß ist, gibt es zwei Wege, die zu zwei verschiedenen Ausgängen führen.

- Der erste Weg ist etwas leichter. Hier ergeben die Rätsel jeweils ein Symbol, das auf einer anderen Seite im Buch abgebildet ist – oben in der Ecke. Findet es und ihr wisst, wo es weiter geht.

- Beim zweiten Weg läuft es ähnlich ab. Nur errätselt ihr diesmal Zahlencodes, die angeben, auf welcher Seite das nächste Rätsel auf euch wartet.

- In einigen Zimmern findet ihr außerdem spezielle Gegenstände. Schneidet sie am besten aus und nehmt sie mit – wer weiß, wofür sie noch gut sein werden …

- Selbst die besten Detektive wissen nicht alles. Deshalb findet ihr in jedem Raum auch Tipps. Sie lassen sich sehr gut mit einem Spiegel entziffern.

- Vollständige Lösungen gibt es ganz hinten im Buch. Doch ehe ihr sie lest, überlegt, ob ihr wirklich alles versucht habt, um die Rätsel zu knacken.

- Bevor es losgeht: Legt Stifte, Papier, Lineal, etc. bereit. Um die Rätsel zu lösen, müsst ihr knicken, falten, messen, malen, rechnen, zählen, schreiben … eben alles, was euch einfällt.

So, das war's. Jetzt seid ihr auf euch allein gestellt. Dann seht mal zu, dass ihr schnell wieder aus der Villa herausfindet. Viel Erfolg! Ihr schafft das!

Euer
O.M.G.

DIE GEHEIMNISVOLLE VILLA

Jedes Symbol steht für ein ganz bestimmtes Zimmer. Wenn ihr euch durch das Buch rätselt, findet ihr heraus, welcher Raum wo liegt. Schreibt die Namen der Räume in das Feld mit dem passenden Symbol.

Besenkammer

DAS ABENTEUER BEGINNT

„Hast du Lust, mit uns nach Schottland zu fahren, um eine geheimnisvolle Villa zu erkunden?" Olli Lilliput und seine Schwester Lonni schauen dich erwartungsvoll an. Die beiden sind erst vor ein paar Wochen hergezogen. Sie sind echt zwei merkwürdige Gestalten, aber irgendwie auch interessant. Also mal hören, was sie zu sagen haben.
„Schottland? Villa?", fragst du.
Olli holt aus: „Unsere Familie hat von Onkel Günter eine alte Villa im schottischen Hochland geerbt."
„Dabei wussten wir nicht mal, dass wir einen Onkel Günter haben", ergänzt Lonni und macht große Augen. „Er ist wohl vor einer Ewigkeit ausgewandert und keiner wusste, wo er ist ..."
„Das wird bestimmt super aufregend!", fällt Olli ihr ins Wort. „Wer weiß, was wir alles in der Villa entdecken?! Ein geheimes Zimmer? Oder einen Geheimgang, der zu einem anderen geheimen Ort führt, den nur eingeweihte, geheime Personen kennen ..." Olli hat wirklich viel Fantasie. Aber er hat so oft geheim gesagt, dass du neugierig geworden bist. Außerdem sind eh Ferien und Mama und Papa liegen dir ja ständig in den Ohren, dass du mehr rausgehen und neue Freunde finden sollst. Da werden sie sicher nichts dagegen haben, wenn du mit den Lilliputs nach Schottland fährst und die Villa besichtigst. Picasso, ihr gefleckter kleiner Hund, ist auch mit dabei. Na dann, auf ins Abenteuer!

Onkel Günters Villa liegt in einem kleinen Ort, direkt am See Loch Ness. Seine Nachbarn, die MacKays, holen euch vom Bahnhof ab und bringen euch hin. Die Villa ist noch viel größer, als in deiner Vorstellung. Und sie wirkt schon von außen sehr geheimnisvoll. Wie mag es wohl drinnen aussehen?
Blöderweise muss der Erkundungsausflug warten: Die Lilliputs möchten erst mit den Nachbarn Tee trinken.

„Hi, ich bin Finlay! Oder einfach Finn", begrüßt euch der Sohn der MacKays. „Und das ist unsere Nachbarin Emma!" Emma hat unglaublich viele Locken, die leicht wippen, als sie euch zunickt. Die Geschwister winken euphorisch, du nickst zurück.
„Emma und ich wollten immer schon mal in die alte Villa!", redet Finn weiter. „23 Zimmer hatte euer Onkel. Allein drei davon Badezimmer." Beeindruckend! Doch eine Information lässt vor allem Olli aufhorchen: Irgendwo soll der Onkel nämlich tatsächlich einen geheimen Raum gehabt haben! Olli und Lonni, Emma, Finn und du versucht euch mit Tee und Keksen abzulenken. Aber lange lässt sich die Neugier nicht ignorieren. Als Finn auch noch verrät, dass er von einem geheimen Weg in die Villa gehört hat, ist es entschieden: Ihr zieht los, um das Haus alleine zu erkunden. Was kann euch in einer alten unbewohnten Villa schon Schlimmes passieren?

Lonni
8 Jahre

Olli
11 Jahre

DU

Emma
11 Jahre

Picasso

Finn
10 Jahre

BESENKAMMER

Kaum zu glauben: Der Geheimtunnel hat euch wirklich direkt in die Villa geführt! Blöd nur, dass es stockdunkel ist. Und eng. Jemand steht auf deinem Fuß. Picasso knurrt. Emma niest. Und da! Was war das? Jemand … knarrt?! Es kommt direkt von oben.

„Der Geist von Onkel Günter", ist Olli sich sicher. „Auf ewig verdammt, in der Villa umherzuspuken – gemeinsam mit den Geistern aller vorherigen Besitzer." Lonni hält sich die Hände vor den Mund. „Aber vielleicht sind die Geister ja freundlich", sagt sie zögernd. „Immerhin hat Onkel Günter 5.000 Jahre mit ihnen zusammengewohnt."

„Höchstens 50 Jahre", korrigiert Emma. Wahrscheinlich verdreht sie auch die Augen. Das sieht aber niemand. Es ist ja noch dunkel.

„Und woher wissen wir, dass nicht die Geister ihn umgebracht haben?", flüstert Olli. Er schaltet die Taschenlampe an seinem Handy an und hält sich das Licht vor sein Gesicht. Ein bisschen unheimlich ist das schon. Dafür kannst du endlich etwas erkennen. Ihr seid in einer **Besenkammer**. Und die Tür klemmt. An der Wand hängen viele Schlüssel.

„Das kann doch kein Zufall sein", findet Emma. Recht hat sie!

TIPP 1:
Nur ein Schlüssel passt ins Schlüsselloch.

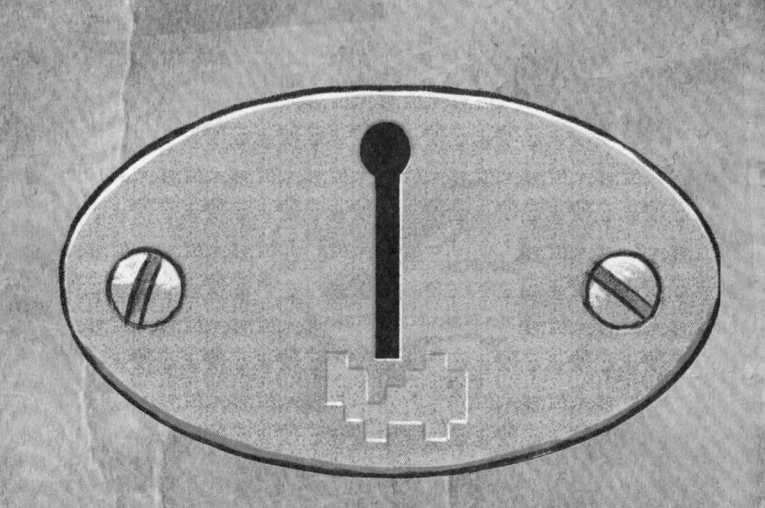

[Erinnerst du dich noch an den Brief von O.M.G.?
Löse das Rätsel und suche das entsprechende
Symbol im Buch, dann weißt du, auf welcher Seite
es weitergeht!]

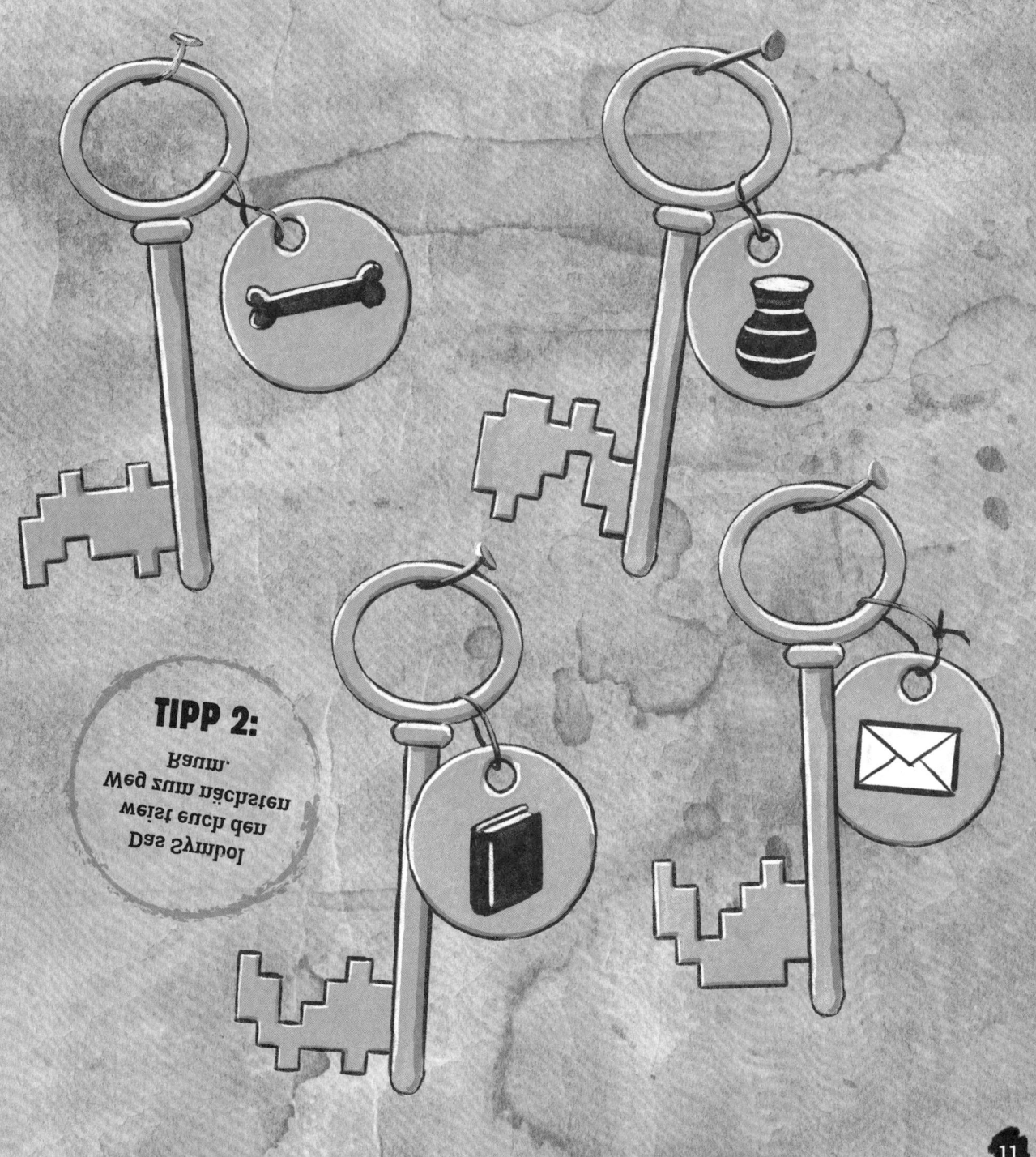

TIPP 2:

Das Symbol
weist euch den
Weg zum nächsten
Raum.

WINTERGARTEN

Unter der Rußpflanze im Speisesaal findet ihr einen kleinen Hebel. Du ziehst daran und „schwupps" schwingt der Kamin auf. Onkel Günter war wirklich ein verrückter Erfinder! Kaum seid ihr durch die Kamintür gekrochen, schließt sie sich allerdings gleich wieder. Trotzdem seid ihr einen Schritt näher am Ausgang als vorher. Denn der neue Raum hat eine riesige Glasfront, vor der eine Palme, ein großer Gummibaum, Kakteen und andere Pflanzen in Töpfen stehen. Hinter ihnen kannst du sogar das Ufer von Loch Ness sehen. Ihr seid in Onkel Günters Wintergarten. „Wahrscheinlich kommen wir nie wieder so nah ans 'draußen' wie hier", denkt Finn laut. Lonni schaut ihn ängstlich an.

Doch bevor sie zu heulen anfangen kann, summt es in ihrer Latzhosentasche. Sie holt ihr Handy heraus.

„Eine Nachricht von Olli!"

„Was schreibt er?", fragt er.

„Wie geht's Emma?", quatscht Finn dazwischen.

Lonni räuspert sich und liest mit wichtiger Stimme vor:

„E + O OK. Stecken im WC. ;-)."

Dafür, dass Olli so gerne Geschichten erzählt, ist die Nachricht echt enttäuschend kurz.

„Was soll das jetzt wieder heißen?" Finn runzelt die Stirn.

„Ist doch klar", verteidigt Lonni ihren Bruder. „Sie sind auf dem Klo. In einem der drei Badezimmer ... Es muss also noch mehr Wege durch die Villa geben."

Lonni tippt wild auf ihrem Handy herum und schaut dann erwartungsvoll auf das Display. Gute drei Minuten vergehen. Doch das Handy bleibt still.

„Wir haben wohl keinen Empfang mehr", vermutet Finn. Das war bisher auch schon so. „Was hättest du ihm denn geschrieben?" Er guckt neugierig über Lonnis Schulter:

„Ist Onkelgeist bei euch", kann er gerade noch lesen, dann geht der Bildschirm aus. Finn schmunzelt und klopft Lonni auf die Schulter. „Wir finden sie schon wieder." Du siehst das genauso. Allerdings müsst ihr dafür erstmal hier raus. Vielleicht hat Picasso ja was entdeckt. Du schaust dich suchend um und siehst noch, wie er ein Bein an den Blumentöpfen hebt.

„Picasso, neeeeiiin!"

Zu spät.

Der Terrier hat bereits an den Gummibaum gepinkelt. „Oh man, Pico!", sagst du zu ihm. Die anderen lachen. Gerade willst du mit dem Hund schimpfen, da fällt dir am Blumentopf etwas auf. Dort sind merkwürdige Zeichen eingraviert. Kreise und Linien. Die anderen Töpfe haben ähnliche Muster und über den Pflanzen hängt auch noch eine passende Mustertafel. Das kann doch kein Zufall sein!

Bitte umblättern

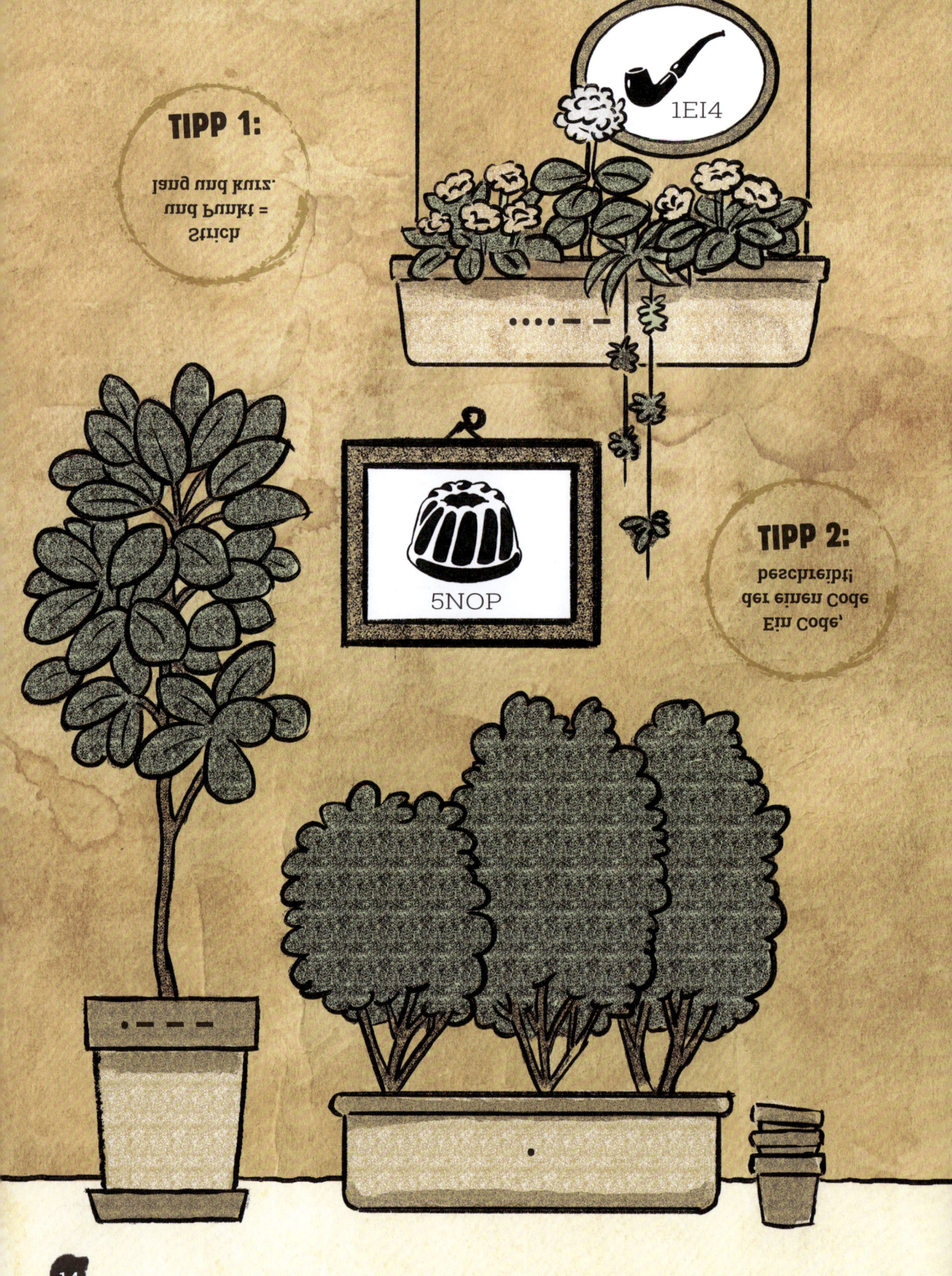

TIPP 1:

Strich = Punkt und Punkt und Punkt und Kurs.

TIPP 2:

Ein Code, der einen Code beschreibt.

1EI4

2NOP

L9ND

S5C2

A	•—	1	•————
C	—•—•	2	••———
D	—••	3	•••——
E	•	4	••••—
F	••—•	5	•••••
I	••	6	—••••
L	•—••	7	——•••
N	—•	8	———••
O	———	9	————•
P	•——•	10	—————
R	•—•		
S	•••		

KINDERZIMMER

Im Schlafzimmer zieht Finn an der Kordel unter dem Sternbild Hase. Sofort rauscht im Bad nebenan das Wasser. Der Schlauch bläht sich auf und leitet es in den Eimer neben Onkel Günters Bett. Langsam sinkt er herab und die Wand neben dem Nachttisch öffnet sich. Ihr schlüpft durch den neuen Ausgang in ... ein **Kinderzimmer**! Picasso bellt. Er hat ein Häschen entdeckt, das in seinem Käfig an einem frischen Salatblatt mümmelt. „Ich dachte, die Villa ist leer ..." Du schaust zu Finn. Der zuckt mit den Schultern. Ein Schrei von Lonni lässt euch zusammenzucken.

Als ihr euch umschaut, ist aber alles ok. Sie hat nur ein Puppenhaus entdeckt. „Schaut mal, es gibt hier drin ein Büro mit kleinen Papierstapeln, ein Schlafzimmer mit einem Eimer neben dem Bett und sogar ein Minihäschen im Käfig ..."

Lonni setzt begeistert eine Figur, die verdächtig wie Onkel Günter aussieht, auf ein Puppen-WC im ersten Stock. Finn und du starrt ungläubig auf das kleine Haus.

Euch ist sofort klar: Das ist die Villa, in der ihr feststeckt! In klein! Es gibt nur einen Unterschied: In den Zimmern sind Spiegel angebracht. So weit so gut. Doch wie können sie euch hier raus bringen?

TIPP 1:
Die Spiegel zeigen alle in eine bestimmte Richtung.

TIPP 2:
Mit einem Stift und einem Lineal macht ihr ihre Reflexionen sichtbar.

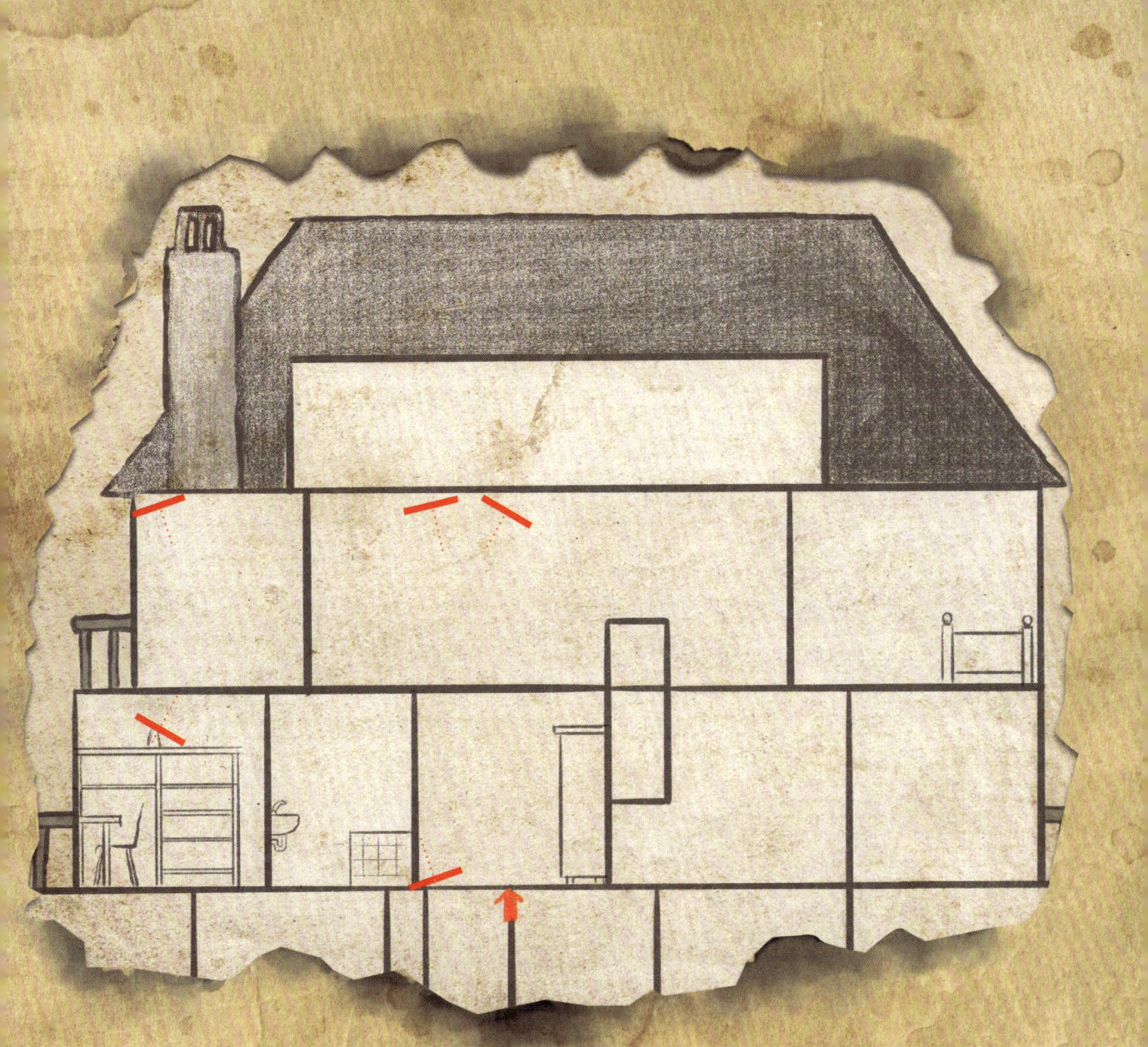

GARAGE

Der Salon liegt hinter euch. Der Schlüssel war ein Transporter. Ihr seht euch um. Lonni findet ein Stück Papier mit merkwürdigen Zeichen darauf und steckt es in die Hosentasche. Als Andenken. Und wer weiß, vielleicht hilft es euch später bei einem Rätsel weiter …
Momentan könntet ihr allerdings auch gut Hilfe gebrauchen. Denn im neuen Raum, der **Garage**, herrscht totales Chaos. Unzählige Dinge hängen an Seilen von der Decke – die meisten irgendwie rund: Kugeln, Ketten, Ringe, Glocken, ein Hula-Hoop-Reifen und sogar ein Einrad! „Diesmal ist es einfach!", glaubt Finn. „Wir ziehen an einem der Seile und schon sind wir draußen." Gesagt, getan. Der rothaarige Junge zieht an einer Leine mit einer Klingel dran. Es bimmelt und Picasso bellt. Soweit keine Überraschung. Doch dann bewegt sich das Garagentor! Es quält sich quietschend nach oben und bleibt dann stecken. Leider passt durch den Spalt weder eine Maus noch eine der Spinnen, die hier überall rumhängen. Doch wenn einmal ziehen das Tor schon bewegt …
Ihr seid euch einig: Ein zweiter Versuch muss her! Diesmal ziehst du. Und tatsächlich öffnet sich eine Tür. Leider ist es die Falsche. Unter Picasso klappt der Boden weg und mit einem verwirrten „Wuff" verschwindet der kleine Terrier unter den Dielen. Dann klappen sie wieder hoch, als wäre nichts passiert. Nochmal dran ziehen hilft nicht. Picasso bleibt verschwunden. Jetzt traut sich keiner mehr etwas anzufassen. Dabei seid ihr auf dem richtigen Weg, wie ein Blick in das Buch aus der Bibliothek verrät. Darin heißt es:

Wenn einer einmal an Einem zieht,
Ziehen zwei zweimal an Zweien.

Ihr schaut euch an. „Nun, Zeile eins können wir wohl abhaken", sagst du. „Aber woran sollen wir denn jetzt zweimal ziehen?" fragt Lonni und sieht sich suchend in der großen Garage um.

TIPP 1:
Suche nach einigen Zwillingen.

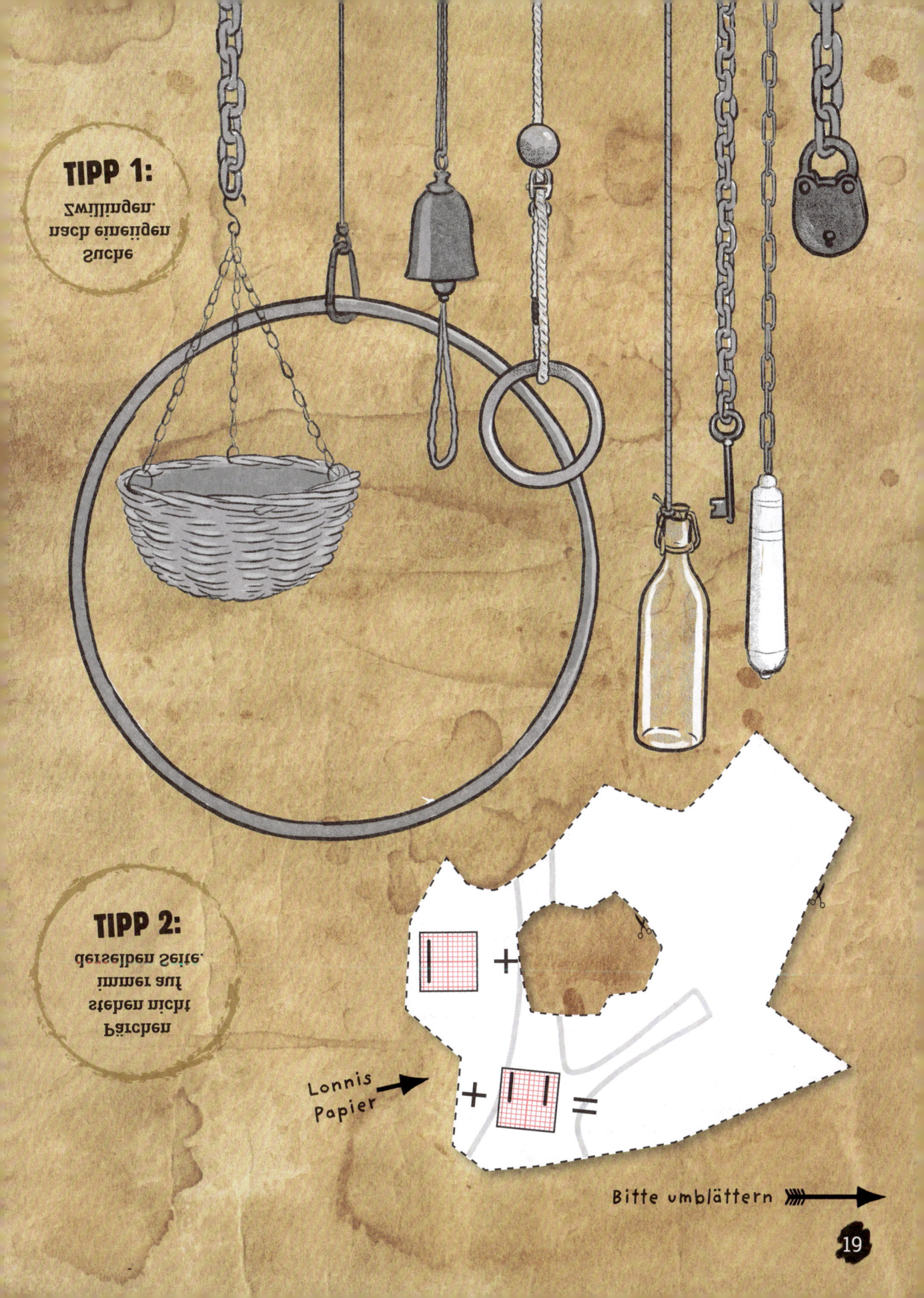

TIPP 2:
Achten nicht stehen immer auf derselben Seite.

Lonnis Papier →

Bitte umblättern ▶

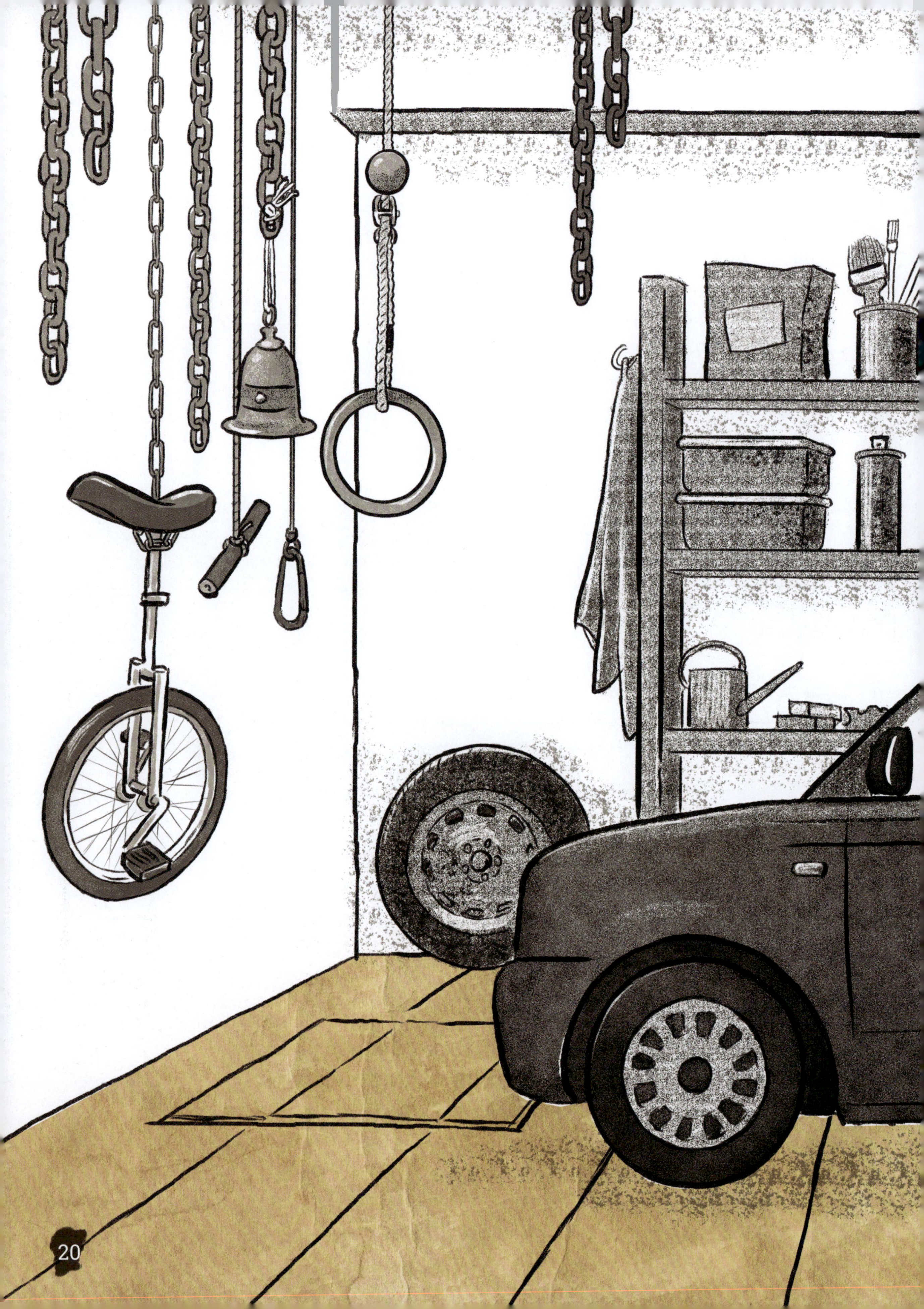

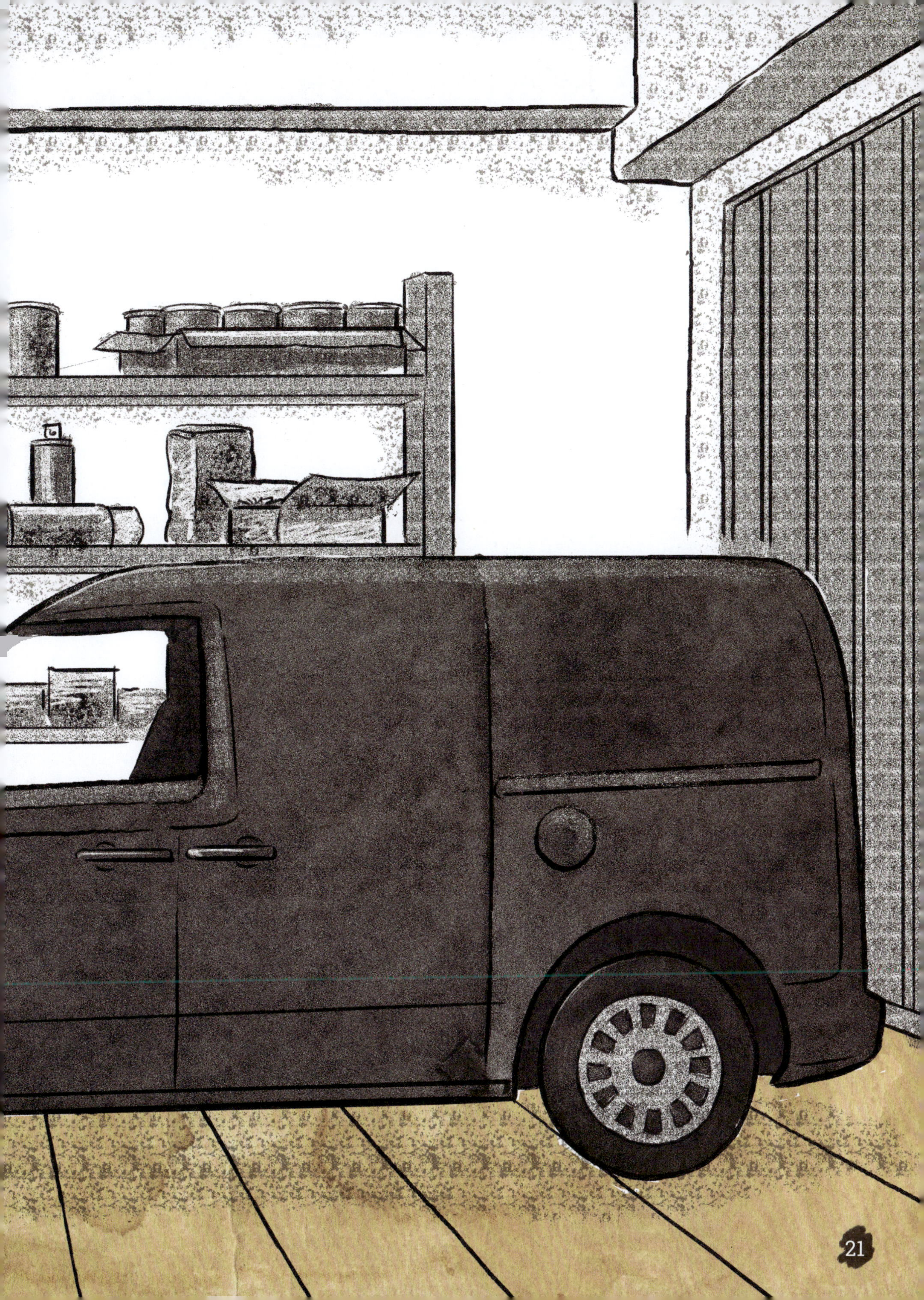

GEHEIMES VERLIES

Mit dem Knochen öffnet ihr eine kleine Falltür in Onkel Günters Fitnessraum und seht ... eine Rutsche! Lonni schwingt sich ohne zu zögern hinunter und verschwindet schnell im Dunkeln. Als nichts zu hören ist, rutscht Finn schulterzuckend hinterher. Stille. Na gut, dann bist jetzt wohl du dran. Huuuii! Mit zerzausten Haaren landest du in einer Art Keller. Nur staubiger und gruseliger. Eine flackernde Fackel wirft eure Schatten an die Wand. Unheimlich. „Ein **geheimes Verlies**!", ruft Finn etwas zu laut. Lonni und du zuckt zusammen. Der schottische Junge schaut euch entschuldigend an. Dann kneift er die Augen zusammen und starrt auf die Wand hinter euch. Auf den Steinen sind Symbole abgebildet. Finn leuchtet mit der Fackel über die Wand. Bei genauerer Betrachtung sehen einige der Zeichen so aus, als gehörten sie zusammen. „Wuhhhhhhhhh!", tönt es plötzlich aus der dunklen Ecke des Raumes. Es ist noch jemand im Verlies! „Licht, schnell!", rufst du und Finn schwenkt die Fackel. Mit ihr wagt ihr euch Schritt für Schritt vorwärts. Plötzlich fängt Lonni an zu lachen. Denn Picasso springt ihr auf den Arm. Alle sind erleichtert. Der Terrier auch. Im Maul hat er einen kleinen Knochen, der auf einer Seite in ein Stück Papier gewickelt ist. Den hat er wohl hier unten gefunden ... Ihr schaut euch mit großen Augen an. Höchste Zeit, aus dem Verlies „auszubrechen"!

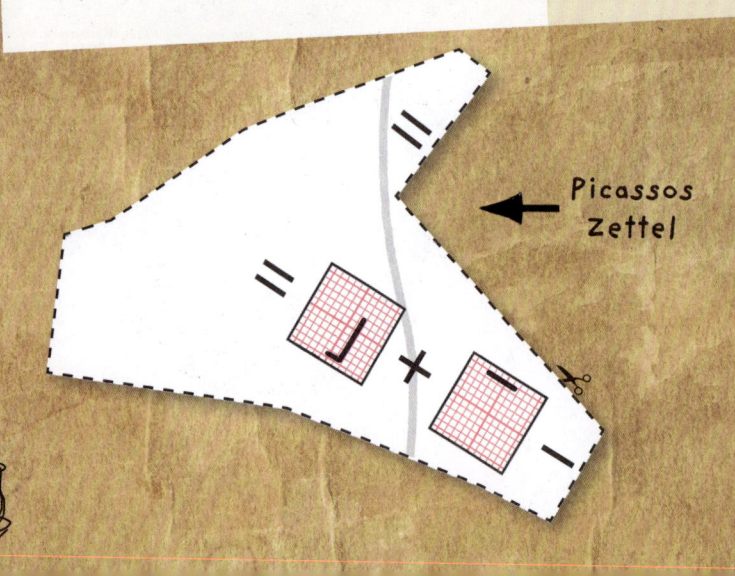

← Picassos Zettel

TIPP 1:
Mit Stift und Papier oder dem Finger kommt ihr Schere leichter die Symbole zusammenzusetzen.

TIPP 2:
Nix für Angsthasen!

AHNENGALERIE

„Ich war noch nie so froh, das Alphabet zu kennen!", sagt Lonni erleichtert. Die Bücherwand schwingt beiseite und ihr steht in einem langen hohen Gang, voller verstaubter Bilder. Auf einigen hängt ein Handtuch. Als wären die Bilder darunter zu hässlich, um sie sich anzusehen. Die Tapete ist es jedenfalls. Auf ihr sind scheinbar wahllos Symbole abgedruckt. Als hätte jemand einfach Gegenstände aus der Villa auf die Wand gekippt ...

„Was sind das alles für Leute auf den Bildern?", fragst du und suchst im Buch, das ihr gefunden habt, nach einer Erklärung.

Finn ist schneller und entdeckt die Gemälde-Beschriftungen an der Wand: „Verwandte vom Onkel", sagt er. „Das da ist sein Bruder, Gregory der Schreckliche."

„Warum war der schrecklich?", möchte Lonni wissen.

„Schau doch mal, was der für eine krumme Nase hat und diese fiesen Augen ..." Er hat Recht. Und die anderen sind auch nicht besser. Anscheinend hat Günters Familie eine Vorliebe für gruselige Portraits. Nur der Onkel selbst sieht freundlich aus. Angeblich ein bisschen wie Lonnis Opa. Und sein weißer Bart wirkt so echt! Lonnie drückt etwas fester auf das Bild. Es klickt. Ihr geht einen Schritt zurück. Nur Picasso bleibt stehen. Dann verschwindet auf einmal sein Kopf hinter Onkel Günters Portrait! Nach einer Schrecksekunde seht ihr, dass das Bild etwas von der Wand absteht. Ein Ausgang? Aber der Spalt dahinter ist selbst für den gelenkigen Finn zu eng. Vielleicht lässt sich das Bild vollständig öffnen? Ihr müsst wohl wieder einen Schlüssel finden ...

TIPP 1:

Geht immer der Nase nach.

Günter

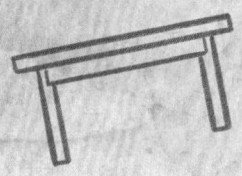

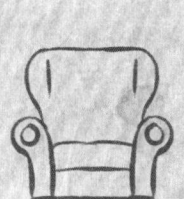

TIPP 2:
Ein Luser
hat beim Öffnen
der Geheimtür.

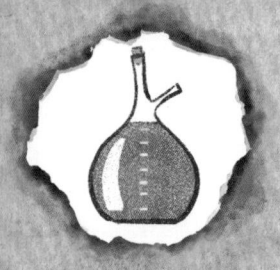

LABOR

Ihr habt im Geheimraum den geheimen Vornamen von Onkel Günter errätselt. Klasse! Und irgendwie ... unerwartet. „Ich dachte die ganze Zeit, er heißt einfach Günter", überlegt Lonni. Finn nickt zustimmend. Doch der neue Vorname erklärt die Einleitung in eurem schlauen Buch, das ihr in der Bibliothek gefunden habt: Da drin hat der geheime Gastgeber mit „OMG" unterschrieben – Onkel M. Günter. OMG! Wahnsinn! Also ist der Onkel tatsächlich der Autor des Buches! „Er muss es extra für uns geschrieben haben", meint Lonni.
Finn und du schaut sie fragend an. „Na, damit wir wieder aus seiner Villa rauskommen."
Finn ist skeptisch: „Warum sollte er uns dann überhaupt erst hier einsperren?"
„Damit wir mal ein echtes Abenteuer erleben", schlägt Lonni vor. „Nur wir Kinder." Damit hat sie wohl recht, denn durch die meisten Türen und Gänge hätten eure Eltern wohl kaum durchgepasst ...
Also war Onkel Günter wirklich der Erfinder eines Rätselhauses. Wie aufregend! Blöd nur, dass ihr immer noch in seiner Erfindervilla feststeckt. Und das, obwohl ihr das große Rätsel im Geheimraum gelöst habt. Da sollte hier doch endlich mal ein Ausgang sein?!
„Was ist jetzt mit diesem Flaschendings?", fragt Lonni. Eigentlich ist es ein Kolben, denkst du. Und er passt wunderbar in das kleine Loch neben dem „Psst"-Schild vom Onkel. Du rüttelst ein bisschen dran und eine Schiebetür öffnet sich.

„Also gab es doch einen zweiten Eingang", sagt Finn. „Oder Ausgang." Du gehst als erstes hindurch und stehst plötzlich in einem Raum voller Reagenzgläser, Ampullen und kleiner Töpfe. Es ist ein **Labor**. „Wahrscheinlich war der Onkel nicht nur Erfinder, sondern auch ein verrückter Wissenschaftler." Finn schaut sich neugierig die vielen Apparaturen an. An der Wand gibt es eine große Eisentür. Vielleicht sind da die gefährlichen Tinkturen drin? Oder es ist euer Weg aus dem Labor. Neben der Tür ist ein Nummernfeld angebracht. Es sieht ein bisschen so aus wie die Tasten eines alten Telefons – oder eurer Handys. „Ist einer von euch ein Code-Knacker?", fragt Finn. Stille. Schade. Denn ohne den richtigen Code kommt ihr hier nie raus …

Bitte umblättern ⟶

TIPP 1:
Zahl jede auch hat Buchstaben.

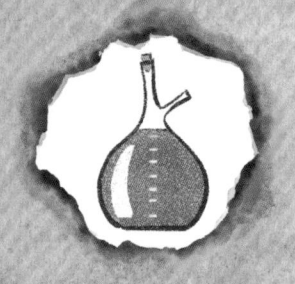

TIPP 2:
Geheime Namen sind bestellt generell Codewörter ...

6 · 2 · 4 · 4 · ₃4 · ₂3

6 · 2 · ₃7 · 8 · ₂4 · 2

6 · ₂8 · ₃7 · ₃7 · 2 · ₃9

6 · ₃4 · ₂5 · 2 · ₂3 · ₃5

FITNESSRAUM

Ihr seid ein gutes Team: Du ziehst an dem Ring auf der rechten Seite der Garage, Finn an dem auf der linken – und Ta-daaa! Das Regal springt auf! Leider gibt es keine Spur von Picasso. Der neue Raum ist dafür voll mit merkwürdigen Geräten. In der Mitte gibt es sogar eine kleine Arena mit Seilen, so ähnlich wie beim Boxen. Es ist ein **Fitnessraum**. „Onkel Günter war früher mal Ringer", weiß Finn. Lonni ist beeindruckt. Aber wohl eher von Finn, als vom Onkel. Weil er so viel weiß. Aber was er kann, kannst du auch: „Er war scheinbar ein sehr guter Ringer, hat fast jeden Gegner besiegt und viele Preise gewonnen." Das stimmt. Die Beweise dafür stehen direkt vor dir auf einem schief hängenden Regal: Pokale. Und weil da wohl kein Platz mehr war, stehen einige mehr im angrenzenden Bad mit Dusche. Ein echter Siegertyp, der Onkel. Zu jedem seiner Pokale steht etwas im Buch: „Einmal hat der ‚Große Günter' geschummelt und musste seinen Pokal wieder abgeben", liest du vor. „Zum Ersatz hat er sich dann einen eigenen Pokal gebastelt, der allerdings ganz anders aussah."

„Schummeln zählt nicht", sagt Lonni. Und schaut sich das merkwürdige Bild unter den Pokalen an. Enttäuscht stellt sie fest, dass dort ausschließlich Zahlen drauf sind. Wie langweilig. Oder etwa nicht?

TIPP 1:

Welchen Platz zeigt der falsche Pokal?

TIPP 2:

Das Bild aus der Zwei ist weit in dem Wald. Im Buch den Weg, der leichter zu fassen ist up.

BALKON

Ihr folgt in der Rumpelkammer dem längsten Weg und findet einen fernsteuerbaren Modellhubschrauber. Schon lässt Lonni ihn wild durch die Kammer sausen. Sie liebt nämlich Minimodelle … Am Ende übernimmst aber doch du das Steuer. Denn du hast da etwas über dem Türrahmen aufblitzen sehen. Schon fliegst du das Modell an einer Lichtschranke vorbei, die Tür springt auf und euer Weg auf den **Balkon** ist frei!

„Hier oben sind wir! Huhu!", ruft ihr den Erwachsenen zu. Und diesmal hören sie euch. Glücklich sehen sie allerdings nicht aus. Das liegt wohl daran, dass ihr im dritten Stock feststeckt. Jetzt wissen sie zwar wo ihr seid, aber wie können sie euch von hier oben herunterholen?
„Keine Panik", sagt Finn. „Mein Vater ist Polizist." Wie euch das jetzt helfen soll, ist dir nicht ganz klar. Doch als eine halbe Stunde später ein echter Hubschrauber mit Finns Vater als Pilot über der Villa kreist, weißt du, was er gemeint hat.

ENDE der ersten Geschichte

Ihr habt es geschafft!

Glückwunsch! Das Abenteuer Rätselvilla ist überstanden und ein Geheimnis um Onkel Günter gelöst. Jetzt habt ihr euch Tee und Kekse bei den MacKays echt verdient. Aber Moment. Irgendwas stimmt hier nicht ...

„Wo ist Olli?", fragt Lonni ungeduldig. Ihr schaut euch an. Aber klar! Die anderen beiden haben noch nicht aus der Villa rausgefunden! „Sie hatten Onkel Günters Buch nicht", flüstert Finn bedrückt. Dir ist klar, was du tun musst. Du gibst Picasso eine Mütze von Olli zum Schnuppern, die seine Mutter für alle Fälle mitgenommen hatte. Kaum hat der Terrier die Fährte aufgenommen, rennt er auch schon los – und du hinterher. Schließlich hast du ja das geheime Buch. Und ohne das finden Olli und Emma nie aus der Rätselvilla heraus.

Ein wenig mulmig ist dir schon, als du dich durch einen engen, bemoosten Spalt im Erdgeschoss zwängst. Aber du bist ja schon einmal aus der Villa entkommen. Sicher wirst du es wieder schaffen! Oder?

Auf ins Abenteuer Nummer Zwei!

Weiter geht's auf Seite 54 – wenn du dich traust ...

BIBLIOTHEK

Die Tür der Kammer geht auf! Endlich wieder Platz! Lonni wischt sich ein Spinnennetz aus dem Gesicht. Emma kriegt es ab und quiekt. „Psssst. Das Gespenst …", warnt Olli. Ihr horcht. Aber das Geräusch ist verschwunden. Vorerst.

Ihr seht euch um. In diesem Zimmer gibt es vor allem zwei Dinge: Regale und Bücher.

„Das ist die **Bibliothek**", sagt Finn. Natürlich hat er Recht. Du siehst dir die Bücher genauer an. Auf einigen stehen Buchstaben. Eine logische Anordnung scheint es jedoch nicht zu geben. Komisch. Dafür findest du etwas anderes: ein Notizbuch.

Es liegt auf dem einzigen Tisch im Raum – genau in der Mitte. So, als wollte es unbedingt beachtet werden. „Schaut mal hier!", rufst du den anderen zu. Du schlägst die erste Seite auf. *Liebe Rätselfreunde*, steht da, zusammen mit unzähligen handschriftlichen Notizen. Neben einigen steht *Tipps*. Du runzelst die Stirn. Lonni und Finn schauen dir neugierig über die Schulter. Emma und Olli versuchen, die Bibliothekstür auf der anderen Seite des Raumes zu öffnen. Bisher erfolglos.

Vielleicht enthält das Buch ja einen Tipp wie ihr hier herauskommt? Du blätterst um und landest auf einer Seite mit der Aufschrift *Bibliothek*. Vielversprechend. Du möchtest sie dir genauer ansehen und nimmst das Buch in die Hände. Plötzlich hört ihr hinter euch ein **Rums!** und zwei Schreie. Ihr dreht euch um und seht gerade noch, wie Emmas Locken durch eine Falltür im Boden verschwinden. Jetzt seid ihr nur noch zu dritt in der Bibliothek.

„Olliiiiii!", schreit Lonni. Doch die Falltür hat sich bereits geschlossen. Anscheinend hat das Buch einen geheimen Mechanismus ausgelöst. Ihr schaut euch an. „Wir müssen raus aus der Bibliothek!", sagt Finn. Damit hat er Recht.

Dein Blick fällt erneut auf die Wand mit den unsortierten Buchrücken. Enthalten sie vielleicht den Schlüssel?

TIPP 1:
Die Aut-
Reihenfolge
kommt es an.

TIPP 2:
Bleistift und Finger bringen die Buchstaben zusammen.

SALON

Ihr drückt auf den Sessel auf der Tapete in der Ahnengalerie und Onkel Günters Bild springt auf!

Im Raum dahinter sieht es richtig schön gemütlich aus. Laut Notizbuch ist es Onkel Günters **Salon**. *Er ist symmetrisch angeordnet mit vielen geraden Strichen und Linien*, steht im Buch auch noch. Vor allem die vier roten Striche an der Wand fallen euch sofort auf. Es gibt einen Sessel, eine Stehlampe mit einem ziemlich großen Schirm und einen sehr alten, verstaubten Fernseher. „Ob der noch funktioniert?", möchte Finn wissen und bastelt an der Antenne rum. Ihr zuckt mit den Schultern. Lonni und Picasso interessieren sich mehr für das Törtchen auf dem Kaffeetisch, das gleich neben einer akkurat gefalteten Zeitung steht. „Riecht nach Vanille", sagt sie und will reinbeißen, doch du hältst sie zurück.

„Wer weiß, wie lange das hier schon steht." Du schiebst das Törtchen zur Seite. Dabei fällt dein Blick auf das Titelblatt der Zeitung. Es zeigt exakt den gleichen Raum, in dem ihr jetzt steht. Mit einem Unterschied: Onkel Günter steht da, wo sich die Lampe befindet. Seine Hände hat er nach rechts und links ausgebreitet, als wollte er euch umarmen. Um seinen Hals trägt er eine Kette. „Da ist ja ein Schlüssel dran!", ruft Finn. Doch wo findet ihr den Schlüssel ohne den Onkel? Haben seine ausgebreiteten Arme etwas zu bedeuten?

TIPP 1:
Finden und besorge dir etwas zum Schutz des Schlüssels. Welche Teller sind zwei

TIPP 2:
einen Tipp. Fernseher dich richtig um den Raum, dar "Verkleinern" um ihn zu finden.

BADEZIMMER

In der Gießkanne in Onkel Günters Büro findest du einen Schlüssel. Mit ihm öffnest du eine kleine Tür. Ihr drängt euch in den neuen Raum. Der Boden ist nass. Finn klebt noch ein Stück Papier aus dem Büro am Schuh. Da sind seltsame Zeichen drauf. Er steckt es in die Hosentasche. Dieses Geheimnis könnt ihr später lüften. Der neue Raum ist ein **Badezimmer**. Picasso sitzt schon in der Wanne und planscht in einer Wasserpfütze. Ein Klo gibt es nicht. Olli und Emma müssen vorhin woanders gewesen sein.

„Also durch so ein enges Rohr krieche ich bestimmt nicht raus!" Finn zeigt auf ein silbernes Rohr an der Wand und verschränkt die Arme. Lonni macht es ihm nach. Du schaust dir den einzigen Schrank im Raum näher an. Er ist recht groß für so ein kleines Bad. Fünf Türen hat er und auf jeder Tür ist eine Zahl und – mal wieder – ein Symbol abgebildet. Ihr schaut ins schlaue Buch und findet folgende Hinweise:

(1) Es ist die 3.
(2) Ich bin es nicht.
(3) Die 1 lügt.
(4) Es ist die Tür neben mir.
(5) Die 2 hat recht.

TIPP 1:

Der Schrank ist eine Wegweiser.

TIPP 2:

Die richtige Tür führt aus dem Bad heraus.

← Finns Zettel

W − ▢ − ▢ + ▢ − ▢ =

▢ =

GEHEIMRAUM

Ihr öffnet die Schranktür im Kinderzimmer und staunt nicht schlecht: Der Schrank ist völlig leer! Keine Klamotten, kein Spielzeug, nix! Dafür lässt sich die Rückwand bewegen. „Hilf mir mal", orderst du und schiebst sie, gemeinsam mit Finn, zur Seite. Euch erwartet eine Überraschung. Auf der anderen Seite des Schranks gibt es nämlich keine Wand, sondern nur ein Loch, das direkt in den nächsten Raum führt. Lonni hüpft als Erste hindurch. „Hier liegt ein riesiges Bettlaken auf dem Tisch", verkündet sie und runzelt die Stirn. Auch ungewöhnlich: Es gibt keine zweite Tür, nur den Eingang durch das Loch in der Wand. Ganz schön geheim. Moment …! „Das muss **Onkel Günters Geheimraum** sein!" An der Wand gegenüber des großen Tischs hängt ein Schild auf dem der Onkel im Profil zu sehen ist, wie er sich einen Finger vor die Lippen hält. „Pssst" steht auf dem Schild. Olli hatte tatsächlich recht.

„Was ist unter dem Laken?", will Finn wissen. Er packt einen Zipfel und lüftet das letzte geheime Geheimnis: Zum Vorschein kommt das Modell einer Stadt. „Loch Ness", liest Lonni langsam von einem kleinen Ortsschild ab. Es ist ein originalgetreues Modell der Stadt, in der Onkel Günter gelebt hat. Gleich am Ortseingang steht seine alte Villa.

Fantastisch! Auch der See ist zu sehen. Aus ihm ragt ein Monster aus Holz heraus, das ein wenig aussieht, wie eine übergroße Schlange. Oder eher eine normalgroße Schlange, die jetzt nur so riesig wirkt, weil die Stadt ja recht klein ist … Und das Monster hat etwas im Maul: Es ist ein buntes Stück Papier. Du nimmst es und legst es vor dir auf den Tisch. „Das sieht fast so aus, wie der Fetzen, den ich in der Garage gefunden habe", sagt Lonni und legt ihr Stück zu deinem. Finn holt die beiden letzten Papiere aus seiner Hosentasche. Er hatte auch das angesabberte Stück von Picasso eingesteckt, weil es sonst keiner hatte machen wollen …

„Sieht aus, als würden sie irgendwie zusammenpassen", überlegt Finn. Ihr probiert ein wenig hin und her. Zwar passen die Stücke zusammen, aber jedes hat ein Loch, durch das einige Symbole fehlen. Allerdings ist der Marktplatz im Modell genauso groß wie euer neu zusammengesetztes Stück Papier. Und in seiner Mitte steht eine Botschaft … Zufall? Wohl nicht!

Bitte umblättern

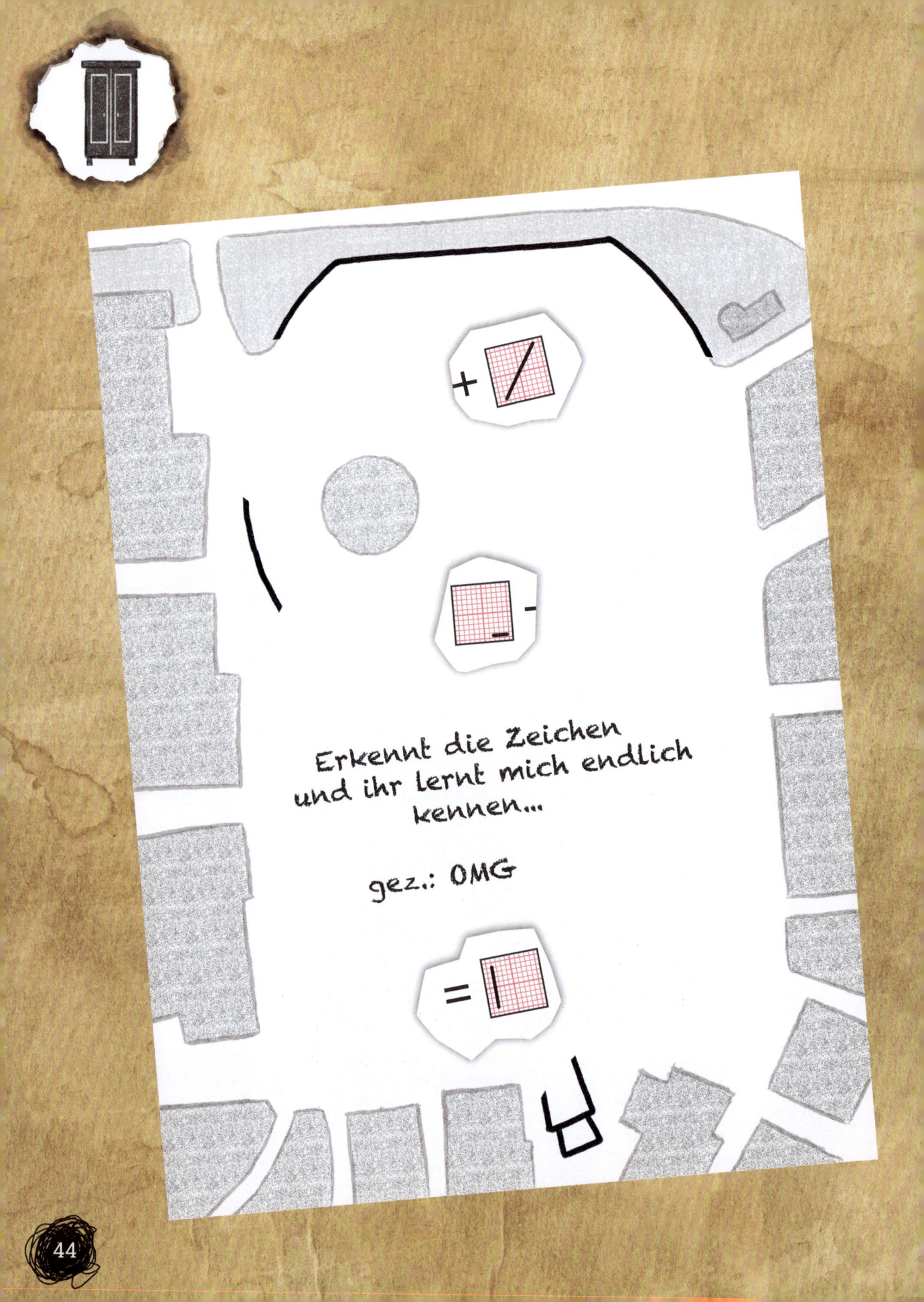

Erkennt die Zeichen und ihr lernt mich endlich kennen...

gez.: OMG

TIPP 1:
Mit Klebstoff haft alles besser.

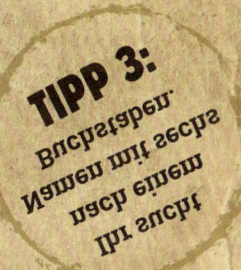

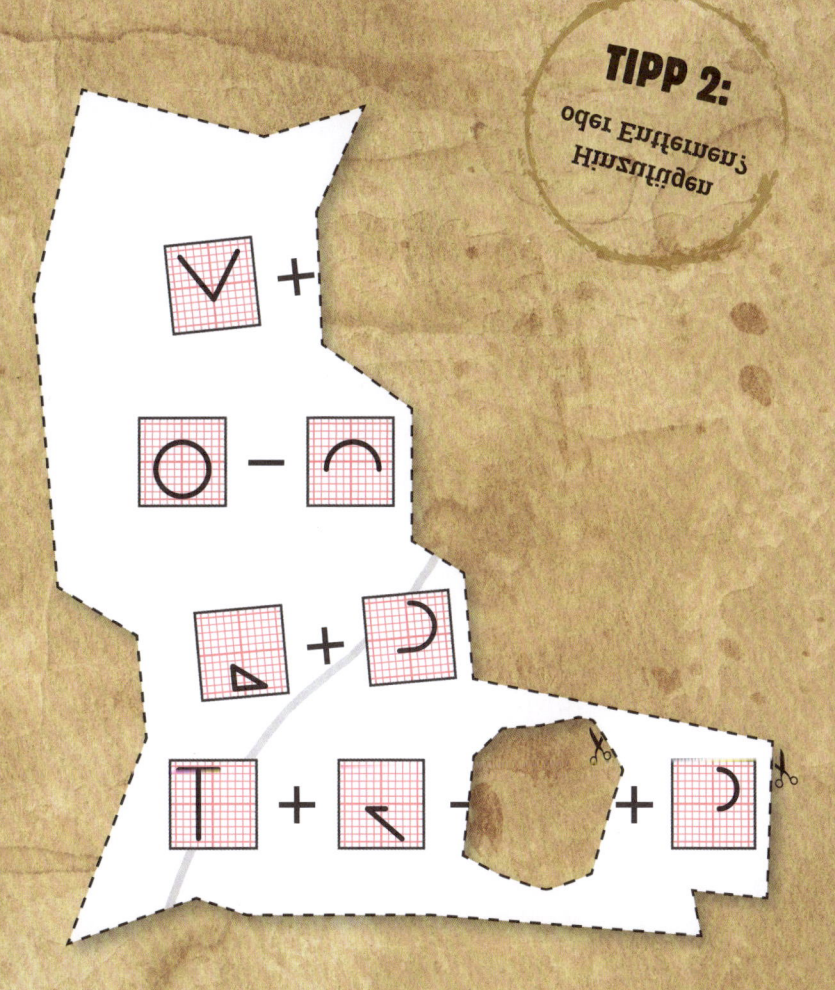

TIPP 2:
oder Entfernung? Himmelsrichtung

TIPP 3:
Buchstaben. Namen mit sechs nach einem Ihr sucht

∧ +

O − ∪

▷ + ⊃

T + ⌐ − + ⊃

SCHLAFZIMMER

Ihr kriecht durch die richtige Schranktür im Badezimmer und kommt direkt in Onkel Günters **Schlafzimmer** raus. Mitten im Raum steht ein kleines Bett, dessen Rahmen selbstgebastelt aussieht. Über dem Kopfende ist ein Eimer angebracht. An ihm hängt ein Schlauch, der bis ins Badezimmer führt. Eine merkwürdige Konstruktion. „Ein selbstgebauter Wecker", ist Finn sich sicher, „Füllt sich der Eimer, hebt er die Matratze an und das Wasser platscht einem direkt ins Gesicht." Er macht ein passendes Geräusch und lacht. Der Onkel war echt ein verrückter Erfinder. Nur den Teppich, den hat er wohl gekauft. Lonni kuschelt sich bereits in den flauschigen Flokati und schaut an die Decke: „Der ist total weich!" Finn will ihr hochhelfen, da kriegt Lonni große Augen. „Hey, alles klar?" fragt er sie. Doch sie schaut weiter an die Decke und zeigt nach oben. Was ist da? Neugierig legt ihr euch auf den Flokati. „Echt krass weich!", sagt Finn. „Psst", Lonni legt einen Finger auf die Lippen. Warum, weißt du auch nicht richtig. Vielleicht, weil ihr im Schlafzimmer seid und Lonni wohl gleich die Augen zufallen. Aber die richtige Attraktion hier ist die Zimmerdecke: Dort ist ein ganzer Himmel abgebildet. Ein Nachthimmel.

Eins ist sicher: Er enthält euren Weg in den nächsten Raum. Denn im Buch steht:

Asteroiden vermeiden.
Astronauten passieren.
So glückt eure Reise.

Hase

Kassiopeia

Stier

Kleiner Bär

Leier

TIPP 1:

Ihr sucht
ein Tier.

TIPP 2:

Es ist so
harmlos wie
der Hokati.

ONKEL GÜNTERS BÜRO

Lonni nimmt die Pfeife vom geblümten Ohrensessel im Wintergarten und lässt sich selbst in die Kissen plumpsen. Ihre Füße schwingt sie auf einen kleinen Hocker und kippelt nach hinten. Ihr hört ein lautes „Klick". Ein Mechanismus rastet ein und eine Tür in der Wand springt auf. Eine Treppe wird sichtbar. Sie führt nach oben und landet in **Onkel Günters Büro**. Hier gibt es vor allem zwei Dinge: einen großen, schwer aussehenden Holzschreibtisch und Papier. Massenweise! Überall liegen Notizbücher, Skizzen und lose Blätter herum. Auf einigen erkennt ihr Geräte, Konstruktionen, neuartige Erfindungen ... Auch die geheime Drehtür im Kamin hat der Onkel auf einem eigenen Notizblatt skizziert.

„Das ist ein Raum voller Ideen!", staunt Lonni. Finn sitzt auf Onkel Günters Bürostuhl und studiert seine Schreibtischunterlage. „Schaut mal hier!", ruft er. „Ich glaube, ich habe eine Karte entdeckt." Auf der Unterlage ist ein X eingezeichnet. Ein Schatz? Wohl kaum. Denn daneben findet ihr einige Anweisungen, die der Onkel wohl selbst geschrieben hat. Im Buch steht: *Der richtige Weg bringt dich hinaus.* Das klingt mal wenig hilfreich. Oder? Ihr schaut konzentriert auf die Schreibtischunterlage.
Welches ist der richtige Weg?

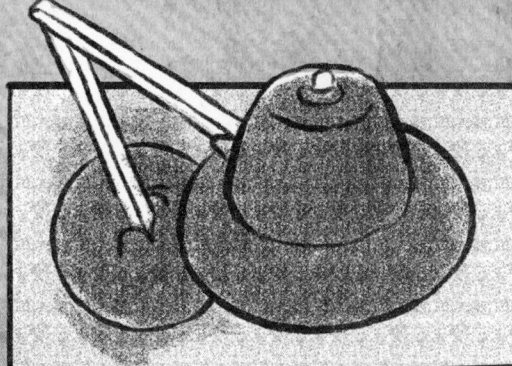

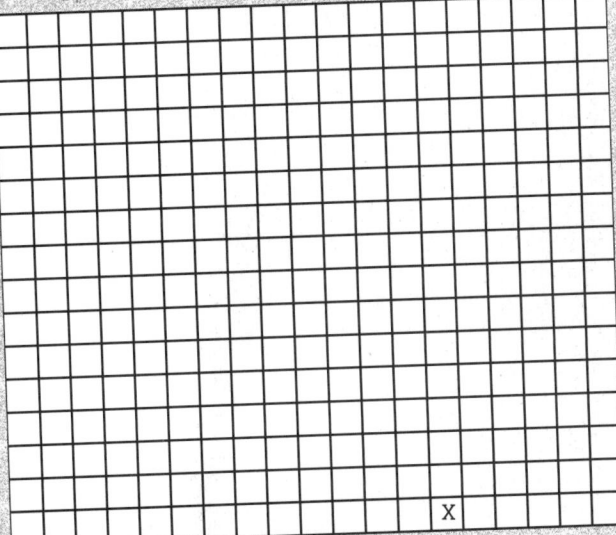

1.) 8 Felder nach links
2.) 5 nach oben links, 1 nach rechts
3.) 4 nach unten rechts
4.) 9 nach oben, dann 4 nach rechts
5.) 2 nach oben, dann 3 nach oben rechts
6.) 3 nach rechts
7.) 3 nach unten rechts
8.) 5 nach unten
9.) 3 nach unten links
10.) 2 nach links, dann 1 nach oben
11.) 2 nach rechts, dann 2 nach rechts oben
12.) 5 nach oben, dann 2 nach links oben
13.) 3 nach links
14.) 2 nach links unten
15.) 2 nach unten, dann 3 nach rechts
16.) 9 nach unten

TIPP 1:
Am Anfang war das X.

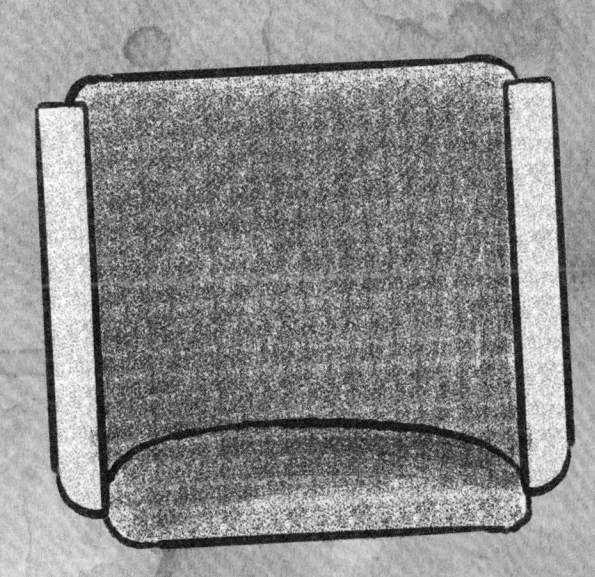

TIPP 2:
Welche Skizze hat der Onkel auf das Kreppapier gezeichnet?

SPEISESAAL

Ihr kombiniert die vier richtigen Steine im geheimen Verlies und prompt kommt ein Aufzug von oben. Euer Weg hier raus! Ihr quetscht euch rein. Es stinkt faulig und alt. „Hier hat Onkel Günter bestimmt noch nie geputzt". Angewidert verzieht Finn das Gesicht. „Luft anhalten und aufwärts!", verkündet Lonni und drückt den einzigen Knopf. Der Aufzug bringt euch direkt in den **Speisesaal**, wo ihr erleichtert aufatmet. Vor euch steht ein langer Tisch mit zehn Stühlen. Leider ist nichts zu essen in Sicht. Wie auf's Stichwort knurrt Lonnis Magen. Wenigstens ist es warm. Im Kamin prasselt ein Feuer. „Ich hoffe, wir müssen nicht durch den Kaminabzug klettern." Finn schaut besorgt zum Feuer.

„Glaub' ich nicht." Du gehst näher ran. Picasso fegt an dir vorbei und landet mit seinen Pfoten in einer schwarzen Substanz vor dem Kamin. „Asche", sagst du laut, während der Terrier schwarze Pfotenspuren im Raum verteilt. „Vielleicht ist es eine geheime Botschaft?", rätselt Lonni. Möglich. Dass Onkel Günter geheime Nachrichten liebt, wisst ihr ja inzwischen. „Was steht denn im Buch?", will Finn wissen. Du schlägst die Speisesaalseite auf. Sie enthält ein Rätsel:

Ohne Wasser kann ich nicht wachsen.
Ohne Licht kann ich nicht arbeiten.
Ohne mich findet ihr nicht hinaus.
Wer/was bin ich?

TIPP:
Der Reim
und der Dreck
vor dem Kamin
gehören
zusammen.

RUMPELKAMMER

Die Kombination für den Laborsafe war korrekt! Die schwere Eisentür schwingt auf und führt euch in einen unordentlichen Chaosraum. „Hey, schaut mal, ein Fotoalbum mit Babyfotos vom Onkel!" Finn blättert es durch. Außerdem gibt es diverse Pappkisten – volle und leere –, Geräte an denen irgendwas fehlt und einen Besen ohne Borsten. „Hier sperrt er seine kaputten Dinge ein", sagt Lonni. Genau. Ihr seid in Onkel Günters **Rumpelkammer**. Ein Blick aus dem Fenster verrät dir außerdem: Ihr befindet euch ganz oben, im Dachgeschoss der Villa. Unten stehen Lonnis Eltern und die von Finn. Sie sehen ratlos aus. Ihr müsst euch bemerkbar machen. Nur wie? Die Fenster gehen nicht auf und klopfen hilft auch nix. „Das hören sie nicht." Finn ist enttäuscht. Auch eure Handys funktionieren immer noch nicht. So habt ihr keine Chance. Ein Taktikwechsel muss her! Da ist nämlich noch eine letzte verschlossene Tür in der Kammer. Sie führt auf einen Mini-Balkon. An der Tür selbst hängt eine Karte der Umgebung von Loch Ness mit vielen Kompassen. Ein – hoffentlich! – letztes Mal konsultiert ihr das schlaue Buch. Und es weiß tatsächlich Rat. Allerdings ist es diesmal ziemlich philosophisch drauf:

Der längste Weg von vieren ist ein guter Weg,
wenn er euch dorthin bringt,
wo ihr hin wollt.

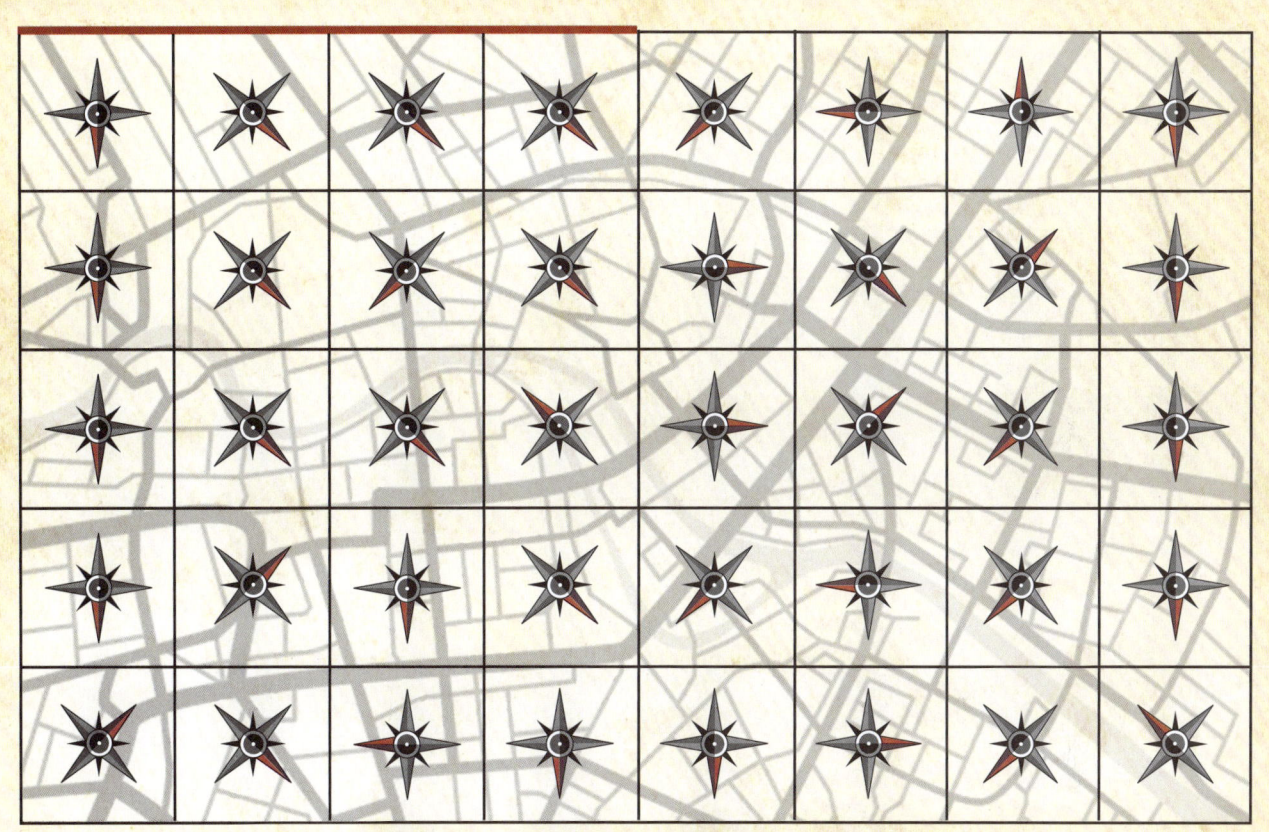

TIPP 1:

Wobei hilft
ein Kompass
doch gleich?

TIPP 2:

Die Nadeln
weisen den Weg.

GEHEIMES VERLIES

Hinter dem Moosspalt geht es steil abwärts. Hoch kommst du hier wohl nicht mehr! Aber die anderen brauchen dich. Also rutschst du tapfer weiter. Am Ende gelangst du in einen Raum, der dir sehr bekannt vorkommt: das **geheime Verlies**.

„Ja, ja, ich weiß, dass wir hier schon zwei Mal waren", sagt Olli gerade, „aber einen Versuch ist es wert."

„Quatsch!" Emma klingt genervt. „Leg den blöden Stock weg und hilf mir lieber Hinweise suchen", ruft sie.

„Aber falls es doch ein echter Zauberstab ist ..." Olli schwingt einen Holzstock vor sich her. „Wenn er echt ist, warum hast du uns dann nicht längst hier rausgezaubert?", kontert Emma.

Du räusperst dich. Beide zucken zusammen. Olli fängt sich als Erster. „Er funktioniert!", ruft er und umarmt dich. „Der Zauberstab funktioniert!" Emma sieht ihn ungläubig an. Olli zeigt auf dich. „Ich habe mir gerade Hilfe gewünscht und da steht sie!" Ein schöner Gedanke. Irgendwie glaubst du aber nicht, das Ollis Zauberstab mehr als einen Wunsch erfüllt ... Vom Aufzug, den ihr bei eurem ersten Abenteuer gefunden habt, fehlt zumindest jede Spur. Wie kommt ihr also hier raus? Da bringt Picasso stolz einen dicken Knochen zu euch. Emma leuchtet mit der Fackel in die Ecke, aus der er gekommen ist. Zwei Knochenhaufen seht ihr da, fein getrennt durch etwas Moos. Ungewöhnlich. Ihr seht euch ratlos an. Zeit für einen Blick ins Buch: *Wo sich die Knochen kreuzen, seht ihr das Ziel*, steht da.

[Denkt dran, die
Lösung ist ab
sofort eine Zahl!]

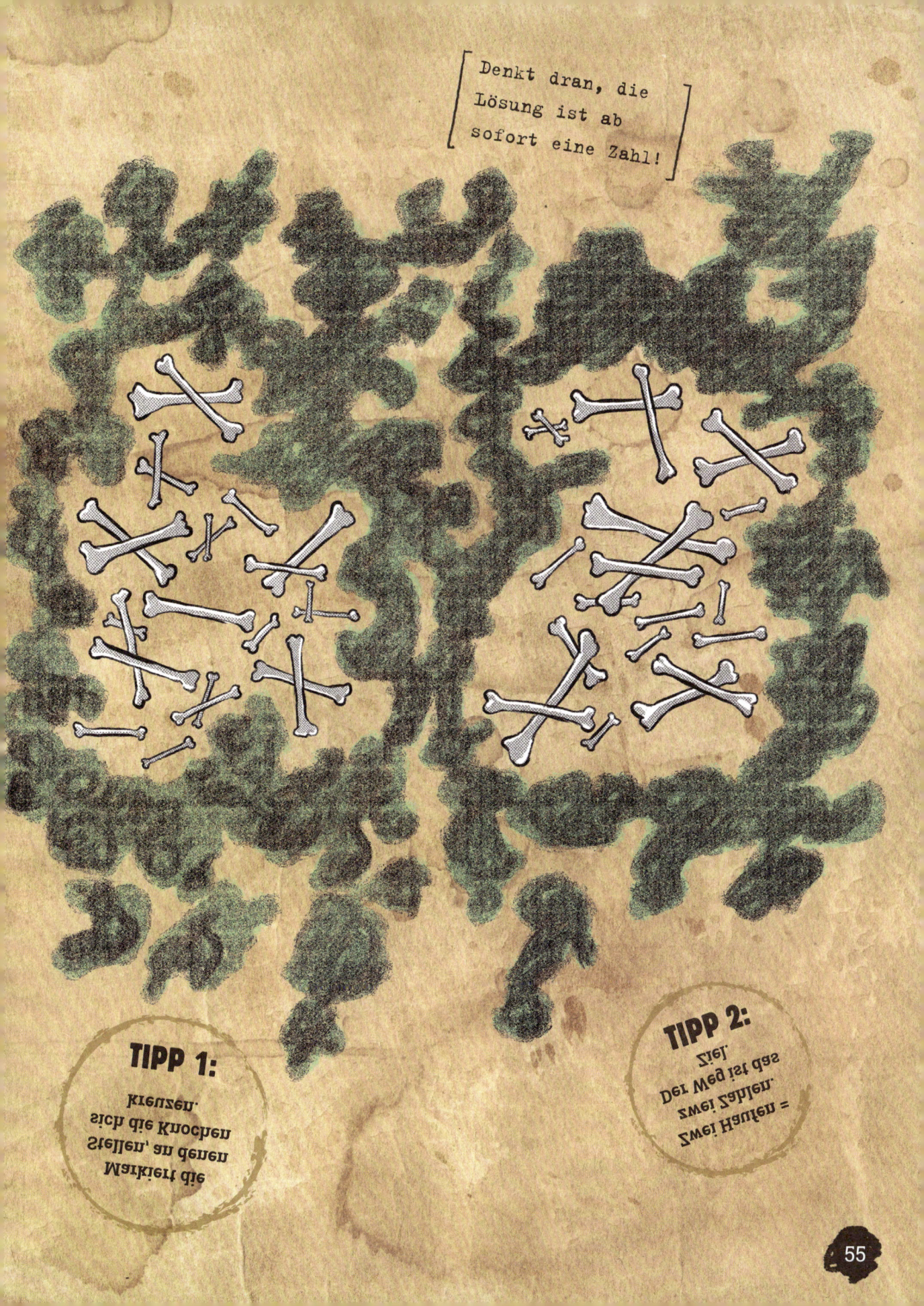

TIPP 1:
Wirklich die
Stellen, an denen
sich die Knochen
kreuzen.

TIPP 2:
Zwei Haufen =
Zwei Zahlen.
Der Weg ist das
Ziel.

ONKEL GÜNTERS BÜRO

Ihr steigt vorsichtig aus dem WC-Fenster und klettert die Leiter hinunter bis auf einen kleinen Vorsprung. Picasso reist in Emmas Handtasche mit. Unten angekommen gelangt ihr durch ein ebenfalls offenstehendes Fenster in **Onkel Günters Büro**. Ihr schaut euch um. Dir fällt sofort auf, dass auf dem Schreibtisch diesmal eine andere Unterlage liegt, als beim ersten Mal, als du hier warst. „Schaut mal, ein Schachbrett!", rufst du den anderen beiden zu. Doch bevor die beiden antworten können, scheppert es im Papierkorb. Er wackelt und kippt um. „Was war das?", flüstert Emma irritiert und schubst Olli ein Stück nach vorne. Er soll nachschauen. Tapfer streckt er den Arm aus und schiebt den umgekippten Papierkorb langsam zur Seite. „Falls ich es nicht schaffe …", er schluckt dramatisch und dreht sich zu dir und Emma um, „dann hängt ein Bild von mir in die Ahnengalerie." Emma schubst ihn unbeeindruckt noch ein kleines Stück weiter nach vorne. „Ich bin sicher, das Ding da im Eimer hat mehr Angst vor dir als umgekehrt!", sagt sie. Ollis Blick nach zu urteilen, hat sie Unrecht. Er stupst den Eimer erneut an und etwas kleines Graues fetzt heraus. „Eine Maus!", ruft Emma und Picasso jagt schon hinter ihr her. Doch das kleine Tier ist schneller. Ihr atmet tief durch. „Die Show ist vorbei!", sagt Emma und geht zum Schreibtisch. „Jetzt machen wir, dass wir hier rauskommen!" Olli kommt zu euch an den Tisch. Vorher steckt er aber noch eine Schachfigur ein, die er neben dem Mülleimer gefunden hat – als Souvenir für Lonni. Soviel Zeit muss sein.

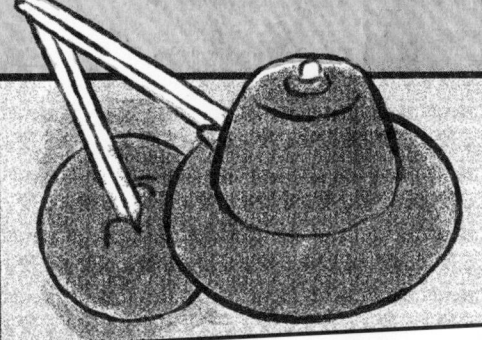

A2	B4	E6	G2
A4	C7	F7	E4
F2	H4	G7	A5
C6	A3	C5	H6
E3	H3	F5	C4
G5			

TIPP 1:

Schachbrettrand?
denn du aut dem
Was steht

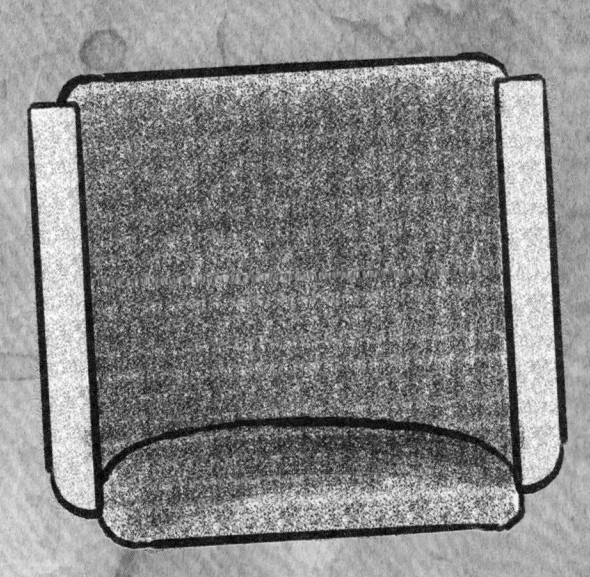

TIPP 2:

rarer til kjater.
Mit einem Stift

ANKLEIDERAUM

„Das war ja total einfach", sagt Olli, als er einen Schlüssel aus dem Kaninchenstall herausfischt. „Klar", kommentiert Emma, „jetzt wo du weißt, wie's geht …" Aber sie lächelt. Vielleicht hat sie Olli doch ein wenig gern.

Der Schlüssel mit der Nummer 58 passt genau in die Kinderzimmertür. Ihr gelangt in einen Flur und seht – noch mehr Türen! Das ist doch ein schlechter Scherz! Doch die Situation klärt sich schnell. Denn nur eine Tür ist offen. Ihr betretet das Zimmer. Es ist voll mit Klamotten! Überall liegen einzelne Socken herum. Und Hüte! So viele Hüte! Zylinder, Kappen, Wollmützen, Fahrradhelme – alles ist dabei. Es ist Onkel Günters **Ankleide**.

Olli borgt sich den Hut, den du vorhin gefunden hast, und posiert mit ihm vor einem hohen Spiegel. Emma probiert ein rotes Halstuch an. Picasso wühlt derweil in einem Stapel mit alten Schuhen. Onkel Günter hat anscheinend nie etwas weggeworfen. Das rächt sich jetzt. Denn wie sollt ihr hier vor lauter Socken irgendwas finden?

„Schaut mal, ich sehe ihm ein bisschen ähnlich, oder?" Olli zeigt auf ein Foto vom Onkel, auf dem dieser den gleichen Hut trägt, den Olli aufhat. Emma holt ihm eine Jacke, die ebenfalls auf dem Foto zu sehen ist. Jetzt ist die Ähnlichkeit perfekt. Doch was ist das? Aus dem Schrank, in dem Emma gerade noch nach der Jacke gesucht hat, fällt plötzlich ein weißes Nachthemd heraus. Und es bleibt nicht am Boden – es sieht sogar fast so aus, als …

„Das Nachthemd schwebt! In der Luft!" Olli ist ganz blass um die Nase. Auch Emma sieht geschockt aus. Keiner von euch traut sich näher ran. Das Nachthemd schwebt noch ein Stück näher zu euch. Füße könnt ihr keine erkennen. Wie ist das nur möglich? „Es gibt keine Geister", sagt Olli leise. Emma nickt, schaut aber weiter mit großen Augen zu dem Nachthemd. Da springt Picasso an euch vorbei und direkt auf den weißen Fetzen Stoff zu. Erst sieht es aus, als würde das Nachthemd ihn verschlingen. Dann gleitet es zu Boden und liegt flach unter deinem bellenden Terrier. Nichts schwebt oder bewegt sich mehr. Was auch immer das war, Picasso hat euch gerettet. „Ich weiß ja nicht, wie es euch geht", sagt Emma, die sich als erste wieder fasst, „aber ich würde jetzt wirklich gerne in den nächsten Raum gehen." Ihr auch. Also schaut ihr wieder auf das Kleiderchaos am Boden. „Vielleicht gibt es ja irgendein System?", sagt Olli. „Also Ordnung im Chaos, meine ich."

Bitte umblättern ⟫⟫⟫ →

TIPP 1:
Manche Klamotten sind gar kein Paar!

TIPP 2:
Verbinde die Paare mit einem dicken Stift.

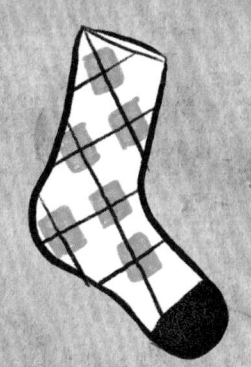

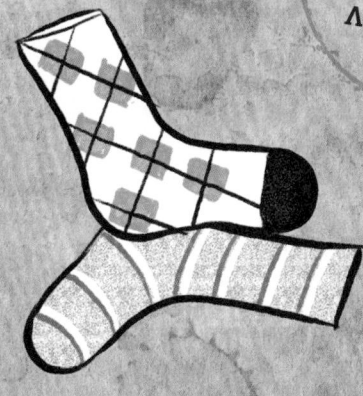

PARTYKELLER

Im geheimen Verlies findet ihr die Zahl 62 direkt über euch an der Decke! An der Wand darunter ist ein kleiner Hebel angebracht. Emma zieht ihn herunter und eine Luke öffnet sich! Eine Leiter klappt heraus und weist euch den Weg in den nächsten Raum. „Endlich!" Emma klopft sich etwas unsichtbaren Staub von der Hose. Sie erzählt, dass sie und Olli wohl schon zwei Mal aus dem Verlies ‚ausbrechen' konnten, aber nie den richtigen Weg aus der Villa gefunden haben. „Es muss mindestens zwei Wege geben", erklärst du. Die Idee ist dir gerade gekommen. Denn in diesem Raum warst du auch noch nicht. Hier gibt es eine Bar, zwei Sofas und ein altes Radio mit Knöpfen. Es ist Onkel Günters **Partykeller**. Plötzlich reißt dich laute Musik aus deinen Gedanken. Olli hat das Radio angestellt und grinst euch an. „Komisch, jeder Kanal sendet das gleiche Lied", sagt er und drückt zur Demonstration noch einmal alle Knöpfe ganz langsam hintereinander. „Das ist eindeutig ein Walzer." Emma wiegt sich ein wenig im Dreivierteltakt. Ihr schaut sie irritiert an. „Mein Bruder macht grad einen Tanzkurs", erklärt sie in gleichgültigem Tonfall, hört aber abrupt auf, sich zu bewegen. Olli grinst und ihr verkneift euch ein Lachen. Emma schaut auf ihre Füße. Anscheinend ist es ihr peinlich, dass sie mitgetanzt hat. Aber was ist das? „Hey, schaut mal hier!", ruft sie und zeigt auf das helle Laminat.

Darauf sind ganz viele Füße zu sehen – einfach draufgeklebt. Als hätte jemand unzählige Fußaufkleber willkürlich auf dem Boden verteilt. „Vielleicht war der Onkel ein Profitänzer?", schlägt Olli vor und stellt sich probeweise auf die ersten Füße. „Ich denke, er war es gerade nicht und hat deshalb die Füße hier aufgeklebt, damit er seine Partnerin nicht ständig tritt", überlegt Emma. Sie hat wohl recht. Denn Walzer tanzt man ja immer zu Zweit. Und weil Olli schon einmal dabei ist, kann er ja gleich den Onkel spielen und den Füßen folgen. Es sieht nämlich so aus, als müsstet ihr euch diesmal aus dem Raum heraustanzen.
Aber welcher Weg stimmt? Olli tanzt los und zählt mit 1, 2, 3, …

Bitte umblättern

TIPP 1:

So viele Füße – doch nur der Meister löst das Rätsel!

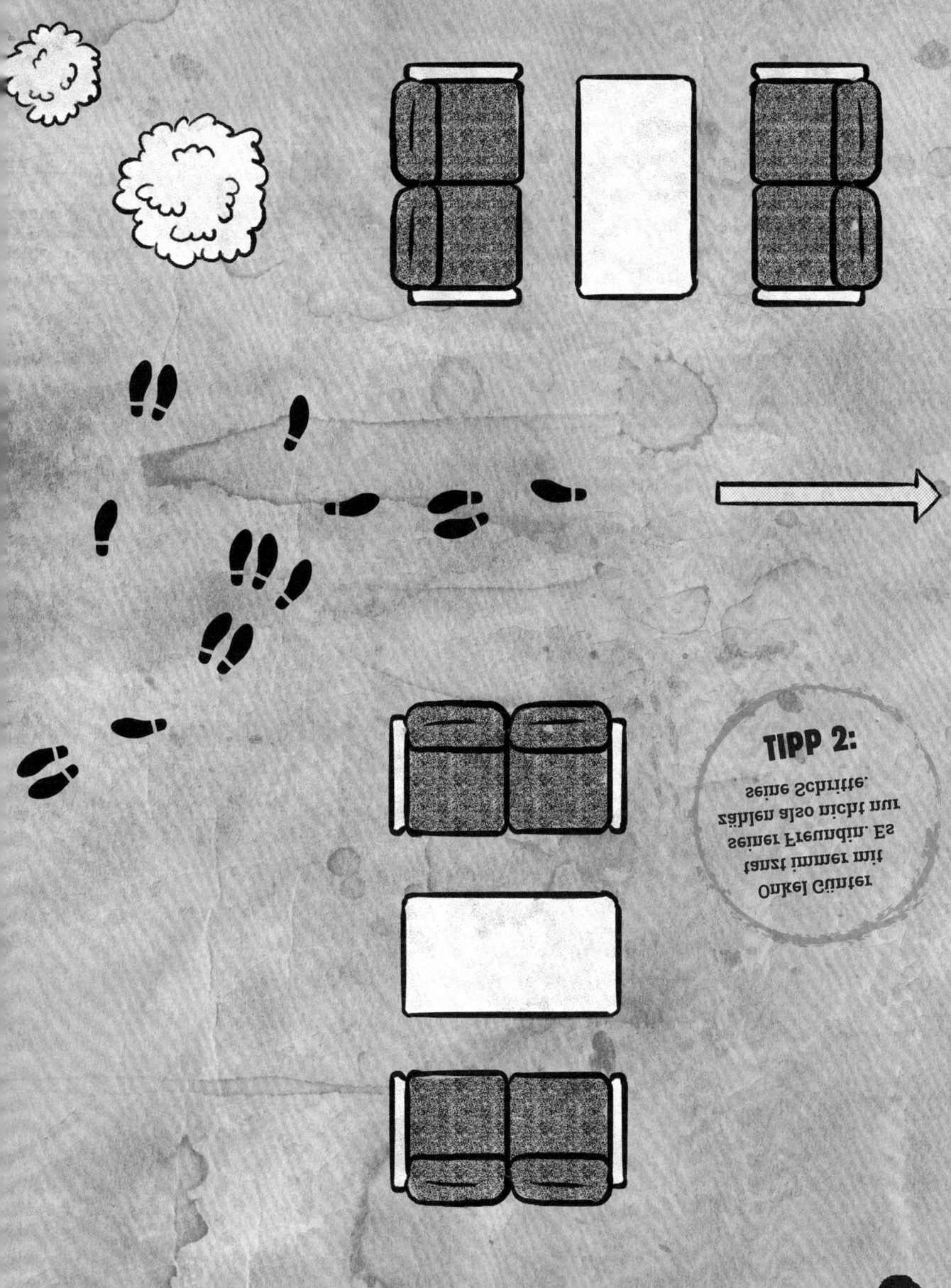

TIPP 2:

Onkel Günter
läuft immer mit
seiner Freundin. Es
wird also nicht nur
seine Schritte...

WASCHKÜCHE

Ihr packt die korrekte Menge an Zutaten auf die Waage in der Küche. Plötzlich öffnet sich eine Falltür! Das hattest du nicht erwartet. Egal, denn jetzt geht es erstmal bergab. Ihr rutscht immer tiefer in die Villa hinein. „Uaaaah! Nicht schon wiiieder", ruft Olli über dir. Doch da ist die Fahrt abrupt zu Ende. Du landest weich. Und es riecht nach Seife. Picasso sitzt auf deinem Bauch. Glaubst du zumindest. Wenn du nur etwas sehen könntest. Aber es ist stockdunkel.

„Wir brauchen Licht!" ruft Emma.

„Na, du hast gut Reden." Olli versucht die Taschenlampe seines Handys einzuschalten, aber der Akku ist leer. Auch dein Handy hat keinen Saft mehr. Was nun?

„Wartet mal." Ihr hört, wie jemand in einer Tasche kramt. Wahrscheinlich ist es Emma. Dann wird es schlagartig hell.

Naja, nicht taghell. Aber wenigstens gibt es so viel Licht, dass ihr euch sehen könnt – und den Raum. Ihr seid im **Waschkeller** gelandet. Und noch etwas kannst du sehen: Das auf deinem Schoß ist zwar flauschig, aber es ist auf keinen Fall Picasso.

„Ahhhhhh!", schreist du und springst aus dem mit Wäsche gefüllten Waschzuber, in den du gefallen warst. Weil sich die anderen erschrecken, schreien sie auch. Das kleine Tier, das auf dir gesessen hat, flieht unter ein Laken.

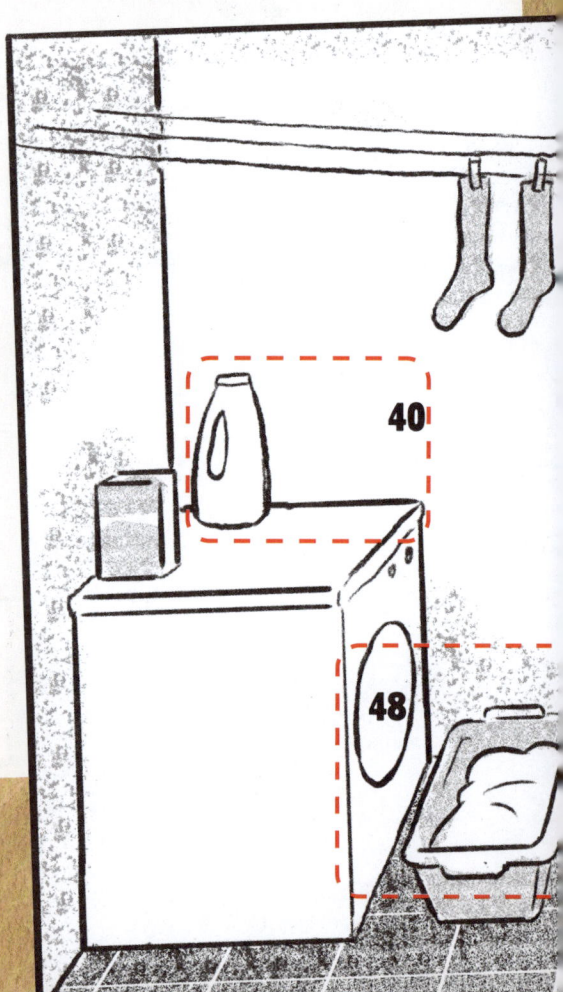

Emma gelingt es gerade noch, es mit dem batteriebetriebenen Kerzenständer anzuleuchten.

„Ein Waschbär!", sagt sie erstaunt. „Du hast uns also die ganze Zeit verfolgt!" Olli klingt enttäuscht. Ein echter Geist wäre ihm lieber gewesen. Die Wäschelaken, die hier unten hängen, ähneln Geistern schon ein wenig. Allerdings seht ihr immer nur einen kleinen Ausschnitt – so viel, wie der Kerzenleuchter euch zeigt. Irgendwoher muss der Hinweis auf den Ausgang sein. Ihr leuchtet den Raum Stück für Stück ab.

TIPP 1: Emma's Artefakt weist euch den Weg.

TIPP 2: Lichtschalter nach dem Sucht.

WC

In der Rumpelkammer steckst du die gefundenen Münzen in einen dafür vorgesehenen Schlitz. Es rattert und rumort. Mit einem „Klick" öffnet sich eine Tür nach draußen. Sie führt in ein Türmchen an der Häuserrückwand. Du läufst die Treppe hinunter und gelangst in ein relativ großräumiges ... **WC**.

„Schon wieder ein WC. Mal ehrlich, wie viele Toiletten kann ein Mensch brauchen?" Es ist Emmas Stimme, die gewohnt genervt klingt. Und das Lachen, das auf ihren kleinen Wutanfall folgt, gehört Olli. Was für eine Erleichterung! Picasso springt gleich an ihm hoch. „Hey, schicker Hut! Wir dachten schon, euch hat der Geist der Villa geholt ..." Olli senkt seine Stimme und zieht eine gruselige Grimasse. „Er meint, ER dachte das", korrigiert Emma. Du umarmst einfach beide. Dass ihr wieder mal feststeckt, erscheint dir jetzt nur noch halb so schlimm. Allerdings kommt ihr nicht voran.

„Dass der Stock nicht zaubern kann, wissen wir doch schon", sagt Emma zu Olli, der aus lauter Langeweile wieder wild in der Gegend herumfuchtelt. Dabei stößt er an eine Leiter, die an der Wand lehnt. Sie ist relativ lang und hat dicke wie dünne Sprossen – aber einige fehlen oder scheinen kaputt zu sein. „Das sieht irgendwie nicht zufällig aus", überlegt Emma und fährt mit den Fingern die Sprossen entlang. Die beiden schauen dich an. Du nickst, holst das Buch raus und liest vor: *Sprosse für Sprosse geht es hinaus. Erst vorne, dann hinten. Dick kennt das Ziel.* Ihr seid mittlerweile echt ein eingespieltes Team.

TIPP 1:
Die Leiter hat
zwei Seiten!

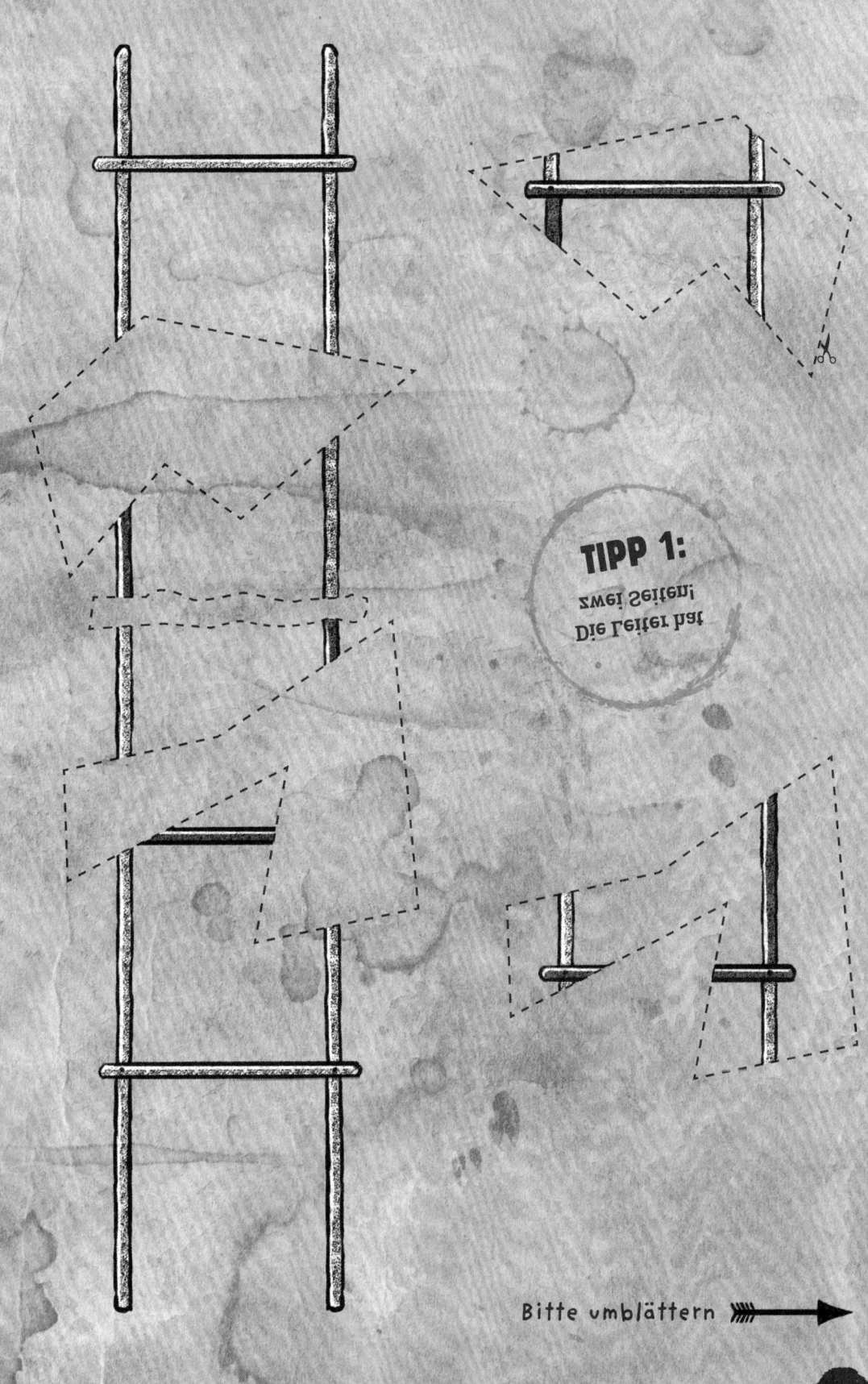

Bitte umblättern ⟶

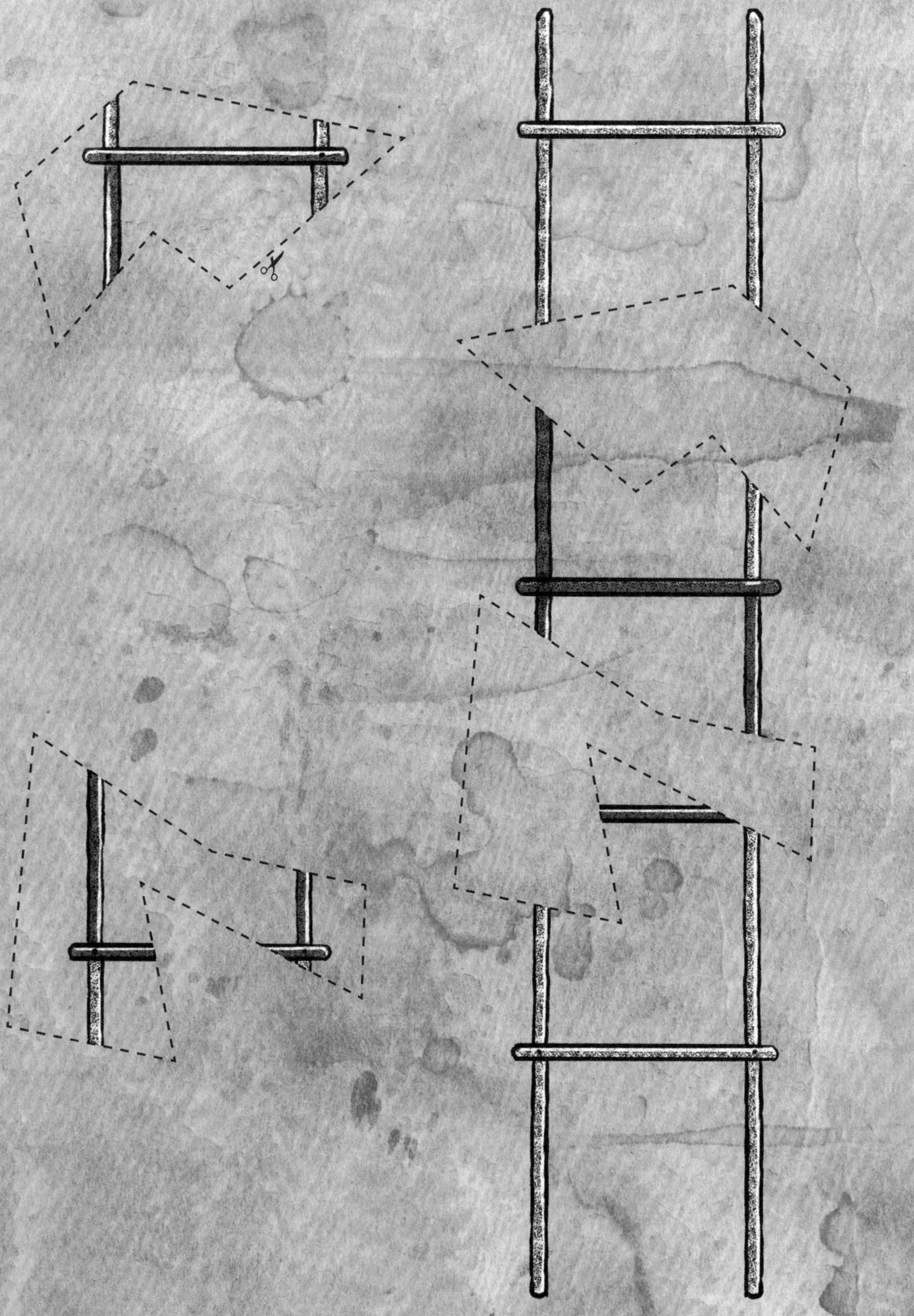

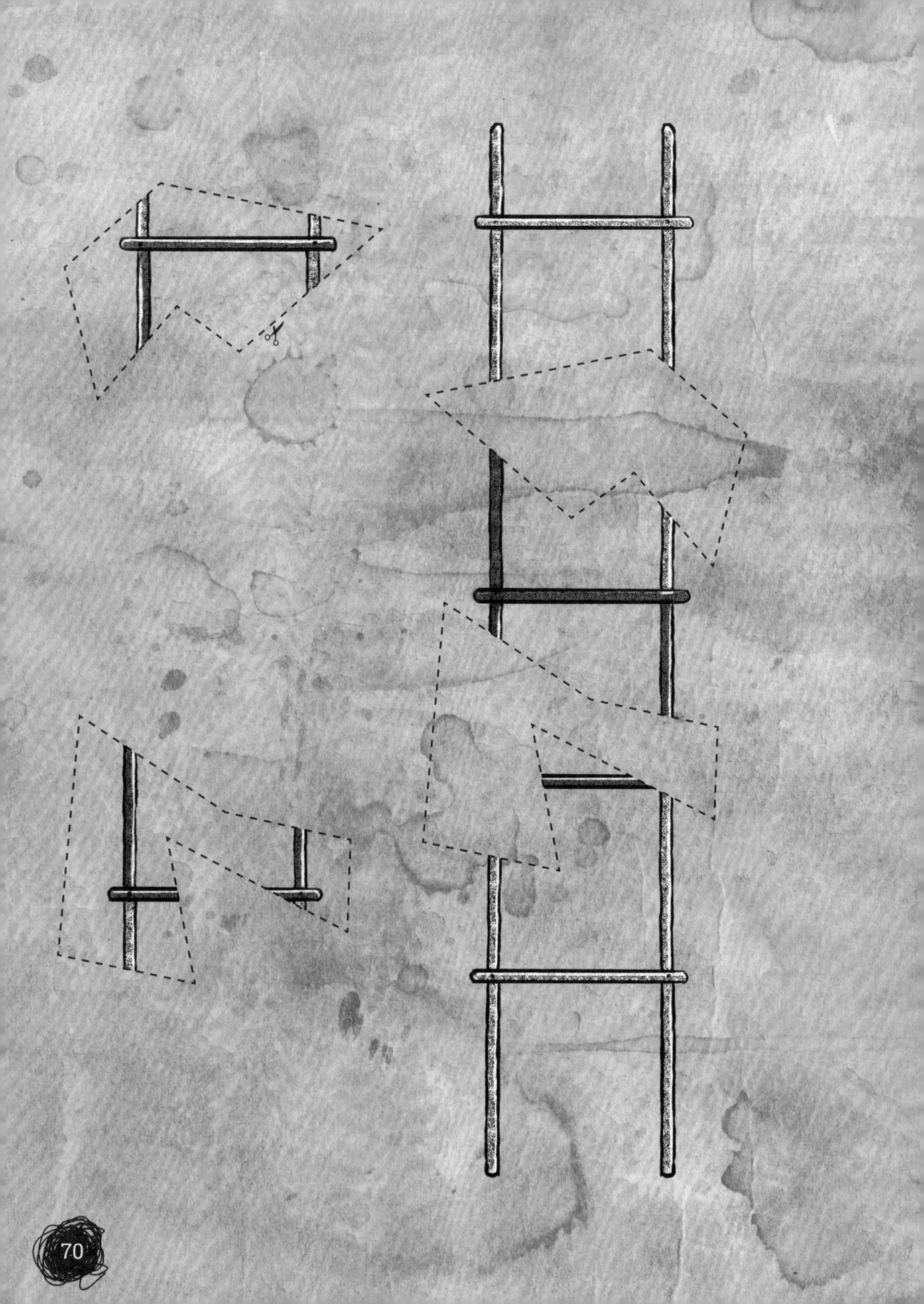

Ihr macht euch daran, die Leiter zu reparieren. Das heißt, du reparierst sie und die beiden anderen geben dir Tipps.
„Das sieht schon gut aus", sagt Olli. Wie er es schafft, immer so positiv zu bleiben, ist dir ein Rätsel. Denn es gibt ein Problem: Du bist fast mit dem Zusammenbauen der einzelnen Teile fertig, aber die Leiter ist immer noch komplett. Eine Sprosse fehlt und ihr habt keinen Ersatz. Aber falls ihr die Leiter gleich benutzen möchtet, um aus dem Fenster nach unten zu klettern, sollte sie wenigstens Ganz sein, findest du. Emma stimmt dir zu. Wenn ihr nur etwas hättet, womit ihr die fehlende Sprosse ersetzen könntet …

TIPP 2:
Nicht alle Sprossen sehen gleich aus.

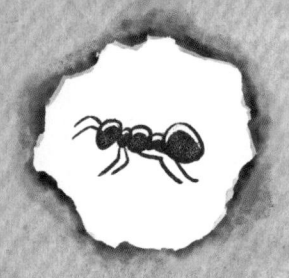

WINTERGARTEN

Irgendwas ist euch am Spiegel in der Ankleide gleich komisch vorgekommen. Emma sieht das kleine Feld am unteren Rand als erste. Dort gibt sie die gefundene Zahl ein. Einige Sekunden lang passiert nichts, dann quietscht es und der Spiegel öffnet sich. Ihr könnt einfach hindurchgehen!
Auf der anderen Seite befindet sich Onkel Günters **Wintergarten** – Picassos Lieblingsraum. Er sieht fast so aus wie vorhin, als du das erste Mal hier warst. Viele Pflanzen, ein Sessel, die Glasfront. Allerdings gibt es einen wesentlichen Unterschied: Überall krabbeln Ameisen herum. Besonders viele gibt es vor den Pflanzen und direkt an der Wand. Dort laufen sie geordnet hintereinander.

TIPP 1: Nutzt die Lupe auf dieser Seite.

„Schaut mal, sie haben schon eine Straße gebaut", sagt Emma fasziniert."
„Ja, und einige tragen etwas auf dem Rücken." Du zeigst auf eine Ameise, die einen Papierfetzen transportiert. Mehrere der kleinen Insekten haben so einen dabei. Und da sind irgendwelche Kritzeleien drauf. Mit bloßem Auge sind sie kaum zu lesen. „Ich kann absolut nix erkennen", sagt Olli und kneift seine Augen zusammen, während er sich ganz nah zu den Ameisen runterbeugt. Dabei hat er nicht einmal eine Brille. Aber die Zeichen sind einfach zu klein …

TIPP 2:
Suche die Ameisen ab – eine nach der anderen!

SPEISESAAL

Im Partykeller entdeckt ihr einen nummerierten Hebel. Du legst ihn um und es rattert in der Mauer. Dann hört ihr ein leises Tapsen. Irgendwie unheimlich ... „Da ist der Aufzug!", rufst du erleichtert, als das Geräusch verstummt und eine Tür aufgeht. Mit dem Aufzug bist du schon gefahren. Deshalb weißt du auch, wo es hingeht: in den **Speisesaal**! Und tatsächlich. Während sich Olli, der größte von euch, noch aus dem Lift rausquält, sucht Emma schon nach Indizien. Der Kamin scheint euch diesmal nicht weiterzuhelfen. Das Symbol im Ruß ist verschwunden. Dafür ist der Boden vor dem Feuer voll mit Spuren. „Hier ist jemand langgelaufen!", schlussfolgert Emma, schaut dann auf die winzigen Rußabdrücke und fügt, „oder Etwas ..." hinzu. Die Spuren enden vor dem Feuer.

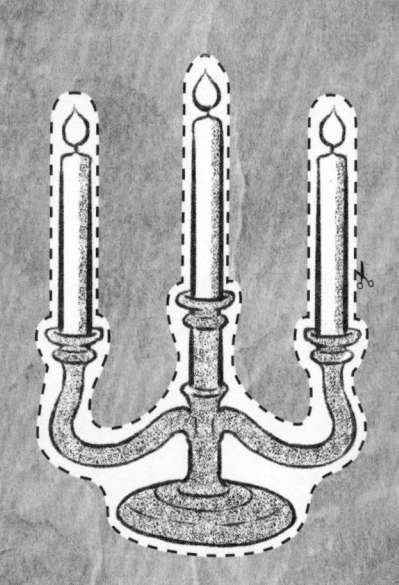

„Vielleicht war es ein Phoenix?", mischt sich Olli ein. Er weiß natürlich, dass es diese Tiere nicht gibt. Aber Lonni hätte die Idee gefallen und er vermisst sie. Ihr ignoriert seine Bemerkung. Neben den Spuren steht ein handlicher Kerzenständer. Er funktioniert mit Batterien. Wie praktisch! Emma stopft ihn in ihre Handtasche – für später – und da sieht sie es, euer neues Rätsel. Es besteht aus genau zwölf Streichhölzern. Das Buch weiß Rat: *Bewege mich ein Mal und du hast die höchste Zahl.*

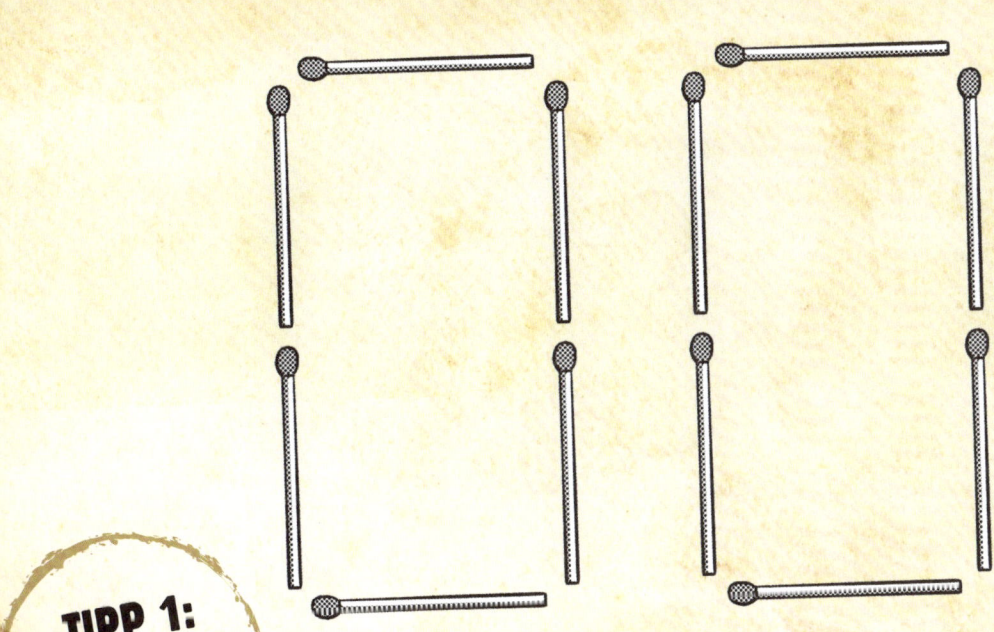

TIPP 1:
Mit Rechnen hat es nichts zu tun.

TIPP 2:
Die rechte Seite bleibt, wie sie ist.

RUMPELKAMMER

Zwischen den beiden Urlaubsfotos in der Ahnengalerie findest du mehrere Knöpfe. Du drückst auf die 76 und die Mauer öffnet sich. Eine Treppe bringt dich und Picasso in einen staubigen großen Raum: die **Rumpelkammer**. Mittlerweile dämmert es draußen schon und du kannst nicht alles erkennen.
Aber eins ist klar: Weder Olli noch Emma sind hier. Wo können sie nur stecken? Es scheppert. Picasso ist in einen Karton gesprungen und hat dabei einen alten Staubsauger umgestoßen. Also keine Panik ... Doch was war das? Der alte braune Hut, da hinten auf dem Boden – hat der nicht gerade noch viel weiter links gelegen? Oder siehst du jetzt schon Geister? Da, plötzlich nimmt der Hut Anlauf und rennt direkt auf dich zu. Etwas läuft über deine Schuhe!
„Ahhh!", hallt deine Stimme durch den Raum. Als sich dein Herzschlag etwas beruhigt hat, hebst du den Hut auf. Den musst du unbedingt Olli zeigen ... falls du ihn wiedersiehst.
Du setzt den Hut auf. Dabei fällt dir am Staubsauger ein kleiner Zettel auf. Anscheinend hat Onkel Günter notiert, was er alles aufgesaugt hat. „Ein seltsames Hobby", sagst du zu Picasso und liest vor: *3 x das Kleinste. Genauso oft das Zweitkleinste. Das Größte ist doppelt so oft dabei, wie das Zweitgrößte. Eine Münze gibt es nur einmal.* Daneben liegen einige Münzen. Aha.

TIPP 1:

Das
Zweitgrößte ist
1 x daher.

TIPP 2:

Wie viel
Geld hat der Onkel
insgesamt wohl
ausgegeben?

AHNENGALERIE

Im kleinen Klo findet ihr einen Schlüssel in dem vollgelaufenen Behälter. Er öffnet eine schmale Tür. Dahinter sieht es düster aus. Ihr benutzt eure Handys als Taschenlampe und schleicht vorsichtig durch den geheimen Gang. Du gehst mit Picasso voran. Die anderen folgen mit etwas Abstand – dachtest du zumindest. Doch als du erneut in der **Ahnengalerie** rauskommst, ist nur noch Picasso bei dir.

„Emma? Olli?", rufst du ins Dunkel. Bis auf ein unheimliches Echo bekommst du keine Antwort. Stattdessen steckst du selbst fest und diesmal lässt sich das Portrait von Onkel Günter auch nicht bewegen. Na super. Picasso hüpft an dir hoch. Du streichelst ihn, atmest einmal tief durch und schaust dich um. Neben den anderen Portraits gibt es noch eine Wand mit kleinen gerahmten Fotos von Onkel Günter. Lonni hatte Recht, er sieht echt nett aus. Ein wenig wie Olli – nur in alt und fast ohne Haare. Er steht jedes Mal vor einer anderen Landschaft.

Na klar! Es sind alles Reisefotos! Zwei davon fallen dir besonders auf, weil der Onkel darauf genau gleich posiert. „Die Fotos sind der Schlüssel", murmelst du und schaust nochmal ganz genau hin.

TIPP 1:
Wie viele
Bäume sind da
eigentlich zu
sehen?

TIPP 2:
Der Fluss
fließt komisch –
welcher Form
folgt er?

PIER

Ihr sucht im Kino nach der gefundenen Zahl und entdeckt sie auf einer Tür unter dem Notausgang. „Das sieht aus wie ein Fahrstuhl", sagt Emma und drückt den einzigen, blinkenden Knopf, den ein Pfeil nach oben ziert. Schon setzt sich hinter der Tür etwas in Bewegung. Neugierig verfolgt ihr eine Anzeige, die von 3 bis UG1 herunterzählt ...
„Ping"! Langsam öffnet sich die Fahrstuhltür. Ihr riskiert einen Blick hinein. Jemand ist heruntergefahren, um euch abzuholen. Ollis Eltern? Nein. Es ist nur eine Person. Ein Mann. Aber ... das kann doch nicht sein! Nicht einmal Olli hat einen schlauen Spruch parat. Nur Picasso rennt sofort in die Kabine und springt an eurem unverhofften Besucher hoch.
„Brav, mein Kleiner", der ältere Mann streichelt den Terrier am Kopf. Er sieht sehr freundlich aus, trägt einen weißen Bart und einen sehr modischen Hut.
„Das ist unmöglich!", sagt Emma, die Augen weit aufgerissen.
„Du meinst wohl eher unerwartet", sagt der Mann und lächelt.
„Oh mein Gott! Der Onkel!", ruft Emma. „Du bist Ollis und Lonnis Onkel!"
„Onkel Murray Günter. Angenehm."
„Dann bist du gar nicht tot?" Endlich hat auch Olli seine Sprache wiedergefunden.
„Das letzte Mal, als ich nachgesehen habe, und das war vor gut fünf Minuten, war ich es noch nicht, nein", antwortet der Onkel geduldig und nickt Olli dann zu. „Übrigens, das ist ein schicker Hut, den du da aufhast!"

Nachdem ihr den ersten Schock verkraftet habt, löchert ihr den Onkel mit Fragen. Ihr erfahrt, dass er die geheimnisvolle Villa tatsächlich extra für euch gebaut hat, damit ihr was zum Rätseln habt. Anscheinend wusste er immer genau, wo ihr seid, hätte euch zur Not sogar helfen können. „Aber ihr habt es ja ganz alleine geschafft", sagt er und klingt schon echt stolz. „Aber sagen Sie, Mister Onkel", fragt Emma nachdenklich, „wenn Sie einfach mal so einkaufen wollen oder spazieren, müssen Sie sich dann immer erst aus dem Haus herausrätseln?"

Jetzt lacht der Onkel so heftig, dass sich sein Bauch hebt und senkt. „Das ist eine sehr gute Frage", gibt er dann zu. „Olli, mein Lieber, greif doch mal in deine Hosentasche."

Olli schaut ihn fragend an und zieht den Springer aus seiner Tasche. „Der kleine Kerl hier bringt euch im Nu hier raus, egal wo ihr seid." Der Onkel schaut euch an. Ihr kapiert nicht, was das heißt. „Es ist ein Generalschlüssel. Behaltet ihn. So könnt ihr immer in die Villa, wenn ihr möchtet", fährt er fort, „Und jemand muss ja auch mein Kaninchen füttern, wenn ich weg bin ..." Wie bitte? Du willst gerade einhaken, da kommt Lonni mit Finn über die Wiese gerannt. Hinter ihnen folgen ihre Eltern. Über die Wiedersehensfreude vergesst ihr kurz, was ihr gerade erfahren habt. „Das glaubst du mir bestimmt nicht", fängt Olli an. Doch gerade, als er Lonni dem Onkel vorstellen will, hört ihr ein Bootshorn hupen. Der Onkel steht an der Reling seines Segelbootes und winkt euch zu, während er auf den See Loch Ness hinausschippert. „Passt gut auf meine Villa auf!", ruft er zum Abschied. „Moment mal", sagt Lonni verdutzt, „ist das etwa ..." Olli klopft ihr auf die Schulter: „Das erzähle ich dir alles in Ruhe bei Keksen und Kuchen".

ENDE

KÜCHE

Ihr folgt der Ameise im Wintergarten bis zu einer Wand. Dort verschwindet sie in einer Ritze. Olli klopft zwei Mal an die Mauer und zieht eine Augenbraue hoch: „Klingt hohl." Er hat recht. Hinter der Wand verbirgt sich ein Gang zum nächsten Raum. Er führt direkt in eine Vorratskammer und dann in eine **Küche**. „Schaut mal, so viele Brote, Käse und Gurken!" Olli kann sein Glück kaum fassen. Emmas Magen knurrt. Nur kurz wundert ihr euch darüber, dass Onkel Günters Haus ja eigentlich leer steht. Wer braucht also die ganzen Vorräte?

„Ist mir egal!", sagt Olli mit vollem Mund und schlingt eine Scheibe Brot hinunter. Dann hält er Emma ein Käsebrot hin. „Danke", sagt sie und zögert, es zu nehmen. „Ich mag lieber Kuchen."

„Ift aber nift fo gefund", schmatzt Olli und lächelt dann. Das ist kein schöner Anblick. Schnell schaut ihr weg. Dein Blick fällt auf ein kleines Stück Papier. Jemand hat ein Rezept darauf geschrieben. Für Kekse! Das kommt euch wie gerufen! Du zeigst es Emma. „Fertige Kekse wären mir lieber ...", nörgelt sie, schaut sich aber das Rezept an. Es lag direkt neben einer Waage und alle Zutaten stehen wie zufällig genau daneben. Eine Zahl an der Waage, die ganz rechts, ist überklebt. Du hast eine Ahnung, wo das alles hinführt und schlägst im geheimen Buch nach: *50 Leckereien, daran sollt ihr euch erfreuen. Lakritz, Tatze und Maus, sie bringen euch hier raus.*

TIPP 1:

nicht 20!
wollte 20 Kekse,
Emma

Verzierung für 20 Kekse:

86 g Lakritze
82 g Schokotatzen
98 g weiße Mäuse

TIPP 2:

genau.
misst auf's Gramm
Die Waage

KINDERZIMMER

Ihr legt die Schachfiguren im Büro genau so auf das Brett, wie der Onkel es vorgegeben hat. Als alles steht, springt eine Mini-Schublade auf, in der sich ein Schlüssel befindet. Er passt genau in die Tür! Durch einen schmalen Gang erreicht ihr schließlich das **Kinderzimmer**. Dein Blick fällt sofort auf den Tierkäfig. Er ist leer – und offen. Von irgendwo her hört ihr ein gleichmäßiges Nagen. Emma folgt dem Geräusch und entdeckt das Kaninchen unter dem Kinderschreibtisch. Sie nimmt es in den Arm. „Komisch", überlegt sie und krault den Nager hinter den Ohren.
„Die Villa ist doch unbewohnt, oder?" Ihr nickt.
„Wer kümmert sich denn dann um den Kleinen hier?" Sie setzt das Kaninchen zurück in den Käfig. „Vielleicht kommt es ja aus dem Garten?", schlägt Olli vor. „Und den Käfig hat es hier nur zur Miete, oder was?" Das war nicht nett von Emma. Aber natürlich hat sie Recht. Wo ein Haustier ist, gibt es auch einen Besitzer. Und ihr habt ja schon mehr als ein Zeichen auf andere Lebewesen gefunden. Du denkst gleich an deine unheimliche Begegnung mit dem laufenden Hut ...
„Hier ist noch was!", sagt Emma und zupft ein leicht angeknabbertes Karopapier aus dem Käfig. Es ist vollgekritzelt mit Formen und Gleichungen. Die wichtigsten Stellen fehlen allerdings! Im Buch steht dazu nur: *Formen sind nicht nur Formen.*
Erschreckend unhilfreich, findet ihr – oder doch nicht?

$$\triangle + \triangle = 8 \qquad \triangle =$$

$$\triangle \times \triangle + \square = 24 \qquad \square =$$

$$\square + \triangle = \bigcirc + \bigcirc \qquad \bigcirc =$$

$$\bigcirc + \triangle = \diamondsuit + \diamondsuit \qquad \diamondsuit =$$

TIPP 1:
Jedes Symbol entspricht einer Zahl.

TIPP 2:
Zwei Dreiecke ergeben eine 8. Was ist dann ein Dreieck?

KINO

Direkt neben dem Lichtschalter im Waschkeller findet ihr die nächste Tür. Und sie ist nicht einmal verschlossen! Du drückst die Klinke runter und ihr gelangt in einen großen, gemütlichen Saal: Es gibt fünf Reihen mit roten Samtsitzen, die alle auf eine Leinwand ausgerichtet sind. „Wow!", ruft Olli, „Onkel Günter hat sich ein eigenes **Kino** gebaut!" Fast wehmütig fährt er mit der Hand über den weichen Samtstoff der Sitze. „Was er sich wohl für Filme angeguckt hat?", fragt Emma. Ihr zuckt mit den Schultern. Picasso frisst ein altes Stück Popcorn. „Hey, Pico, lass das!" Wie immer hört er nicht auf Olli. „Pfui, Pico. Pfui!", sagst du. Ein wenig sieht der Terrier so aus, als würde es ihm doch Leid tun. Aber wirklich nur ein wenig. Olli lacht. Du schüttelst den Kopf und streichelst den kleinen Hund. Da fällt dir etwas auf: Hinter Picasso klemmt ein zusammengeknülltes Papier in einer Sesselritze. Du ziehst es heraus und glättest es. Emma und Olli schauen dir über die Schulter. Ihr habt ein neues Rätsel gefunden. Du liest den Zettel vor:

Gleich fängt der Film an. Ihr sucht euch einen Platz. Olli setzt sich nach ganz rechts außen, denn dort steht ein Becher mit Popcorn. Du suchst dir einen anderen freien Platz und kraulst Picasso mit der linken Hand am Ohr. Drei Plätze neben Picasso ist ein weiterer Platz frei. Emma sitzt nicht rechts, nicht links, aber sie könnte sich mit einer Personen unterhalten. Wer sitzt wo und welcher Platz bleibt frei?

TIPP 1:
Der Text verrät euch, wo wer sitzt.

TIPP 2:
Ein Platz bleibt leer.

„Woher hat der Zettel gewusst, das gerade wir im Kino auftauchen würden?", fragt Emma in die Runde. Du runzelst die Stirn. „Gute Frage", gibt Olli zu. „Und wer sitzt auf dem freien Platz?" Doch bevor ihr euch weitere Gedanken machen könnt, springt im hinteren Teil des Raumes eine Popcornmaschine an. Zwar seid ihr noch satt, von den kleinen Snacks aus der Küche, aber zu Popcorn kann selbst Emma nicht nein sagen. „Stop!" Olli hält sie am Arm fest. „Vielleicht werde ich langsam verrückt, aber was, wenn das Popcorn unser nächstes Rätsel ist?" Emma schaut ihn an. Daran hatte sie nicht gedacht. Du auch nicht. Aber jetzt, wo Olli es sagt, schaust du dir das Popcorn in der Maschine ganz genau an.

Bitte umblättern ▶

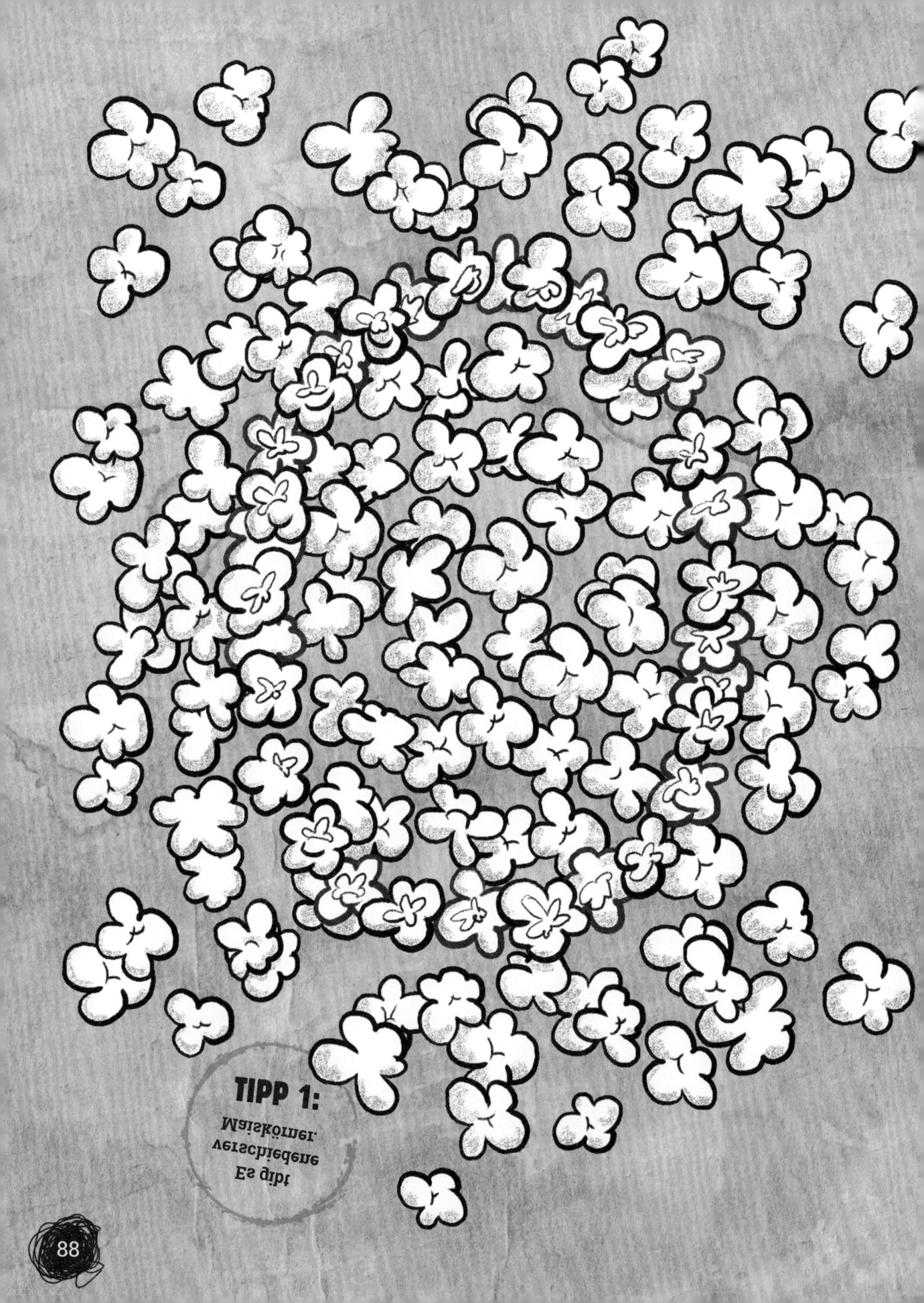

TIPP 1:

Es gibt
verschiedene
Maiskörner.

TIPP 2:

Ein Stift
hilft dir, frisch
Ideen zu finden.

KLO

Ihr findet im Speisesaal eine schmale Schiebetür, mit zwei Nullen daran. Emma erkennt gleich, dass diese aus einzelnen Teilen bestehen, die sich verschieben lassen. Sie versucht es mit der Zahl von den Streichhölzern – und voilà! Die Tür lässt sich öffnen. Im neuen Raum ist es fast so eng wie vorhin im Speisenaufzug. „Wer baut bitte eine Schiebetür in so ein kleines **Klo**?", fragt Emma. Olli kichert: „Onkel Günter war schon ein witziger Typ." Wie recht er hat! Plötzlich erschrickt Olli: Wo ist Picasso? Er wird doch nicht wieder durch eine Falltür gerutscht sein? Zum Glück nicht. Denn ihr hört ihn bellen. Er scheint sich in einem Spalt in der Mauer verkrochen zu haben. „Also da passe ich bestimmt nicht durch", sagt Olli und steckt probeweise eine Hand in das Loch. Doch bevor er noch etwas sagen kann, zieht er sie mit einem kleinen „Iihks!"-Schrei zurück. Etwas hat nach seinem Finger gegriffen – und Picasso war es bestimmt nicht. Irgendwer folgt euch durch die Räume ... „Oder irgendwas", flüstert Emma. Ein gruseliger Gedanke. Nur nicht den Kopf verlieren! Der Ausgang ist zum Greifen nah. Onkel Günter hat nämlich eine Apparatur aus Behältern und Rohren in den Raum gequetscht. Wie das wohl funktioniert? Du drehst den obersten Hahn auf und schnell füllen sich die Behälter mit Wasser.
Folgt mir, wenn ich voll bin, rät das Buch dazu. Na dann mal los!

TIPP 1:
Welcher Behälter füllt sich zuerst?

TIPP 2:
Niedriger ist schneller.

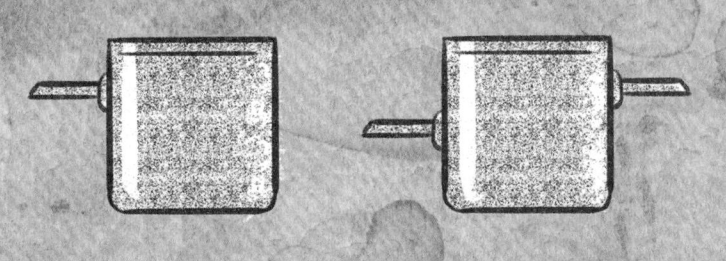

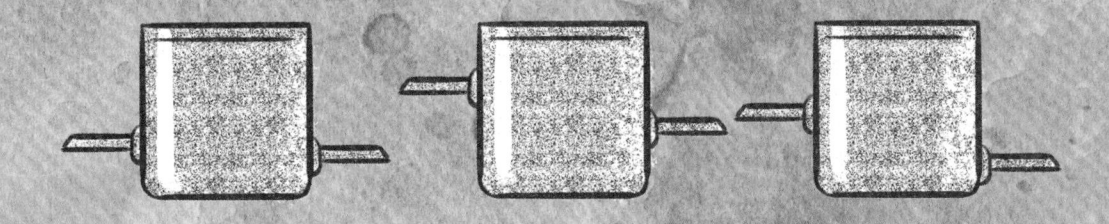

| 56 | 86 | 78 | 44 |

Lösungen

Seite 10:
Der Schlüssel mit dem Buchplättchen befreit euch aus der Besenkammer.

Seite 12:
Auf den Pflanzbehältern sind von links nach rechts Morsezeichen aufgedruckt. Dies sind
·――― · ·· ···――
Sie entsprechen laut Tafel dem Code 1 E I 4. Das nächste Symbol ist demnach die Pfeife.

Seite 16:
Die grünen Linien zeigen euch an, wie die Spiegel das Licht reflektieren, bis es den Schrank trifft.

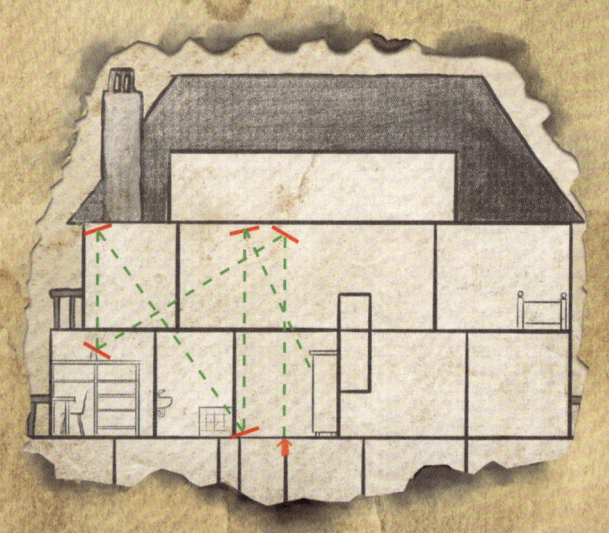

Seite 18:
Die Turnringe sind als Einziges doppelt in der Garage vorhanden. Einmal auf der Seite mit den vielen Seilen und ein zweites Mal auf der Doppelseite mit dem Garagenbild.

Seite 22:

Seite 24:

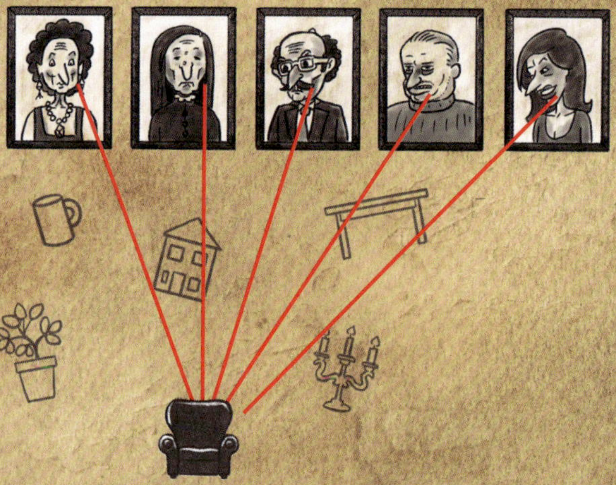

Seite 26:
Ihr tippt die Kombination M-U-R-R-A-Y mit den Zahlen 6-8-7-7-2-9 ein. Der Vorname von Onkel Günter öffnet euch die Eisentür und ihr findet ... einen Besen.
Übrigens: Alle Zahlenkombinationen ergeben einen Namen.
- 6-2-4-4-4-3 = Maggie
- 6-2-7-8-4-2 = Martha
- 6-4-5-2-3-5 = Mikael

Seite 30:

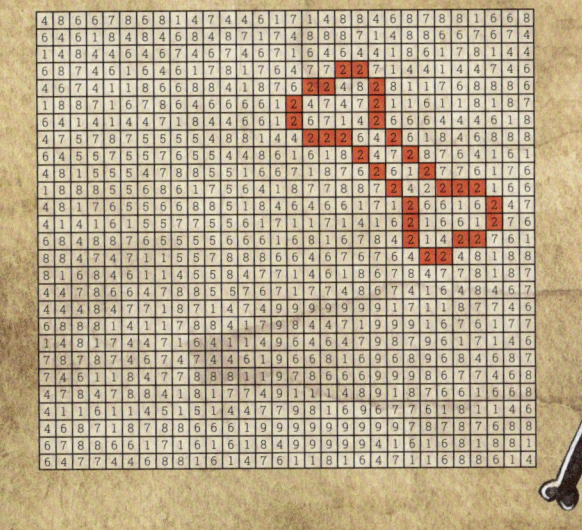

Seite 36:

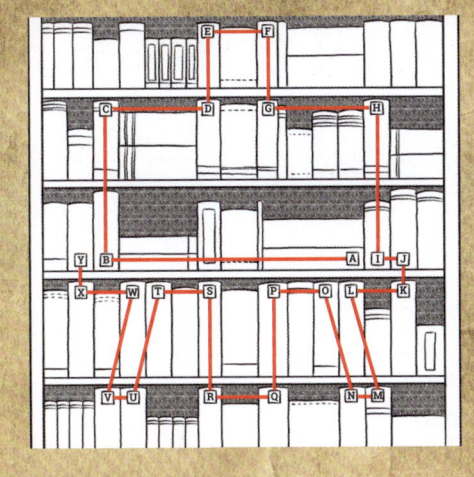

Seite 38:
Faltet die Seite an den roten Linie, die Lampe zeigt dabei die Mitte an:

Seite 40:
Ganz schön verwirrend! Aber ihr lasst euch nicht so leicht in die Irre führen, oder? Das richtige Symbol befindet sich natürlich in der 5. Tür: Es ist der Wecker.

Seite 42:

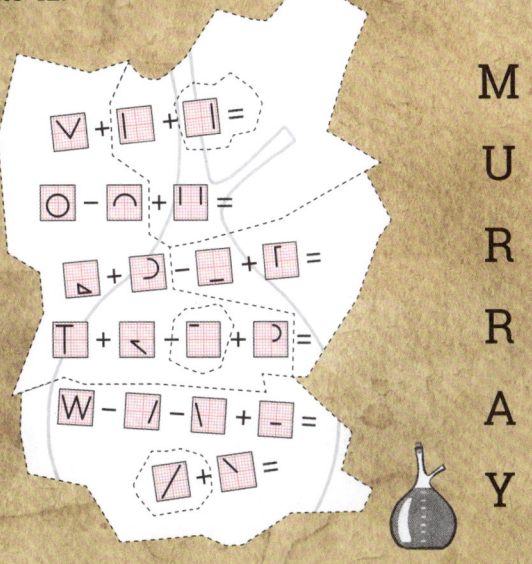

M U R R A Y

Nachdem ihr den Brief wieder zusammengesetzt habt, legt ihr ihn passgenau auf die Symbole im Buch. Jede Reihe enthält einen Buchstaben, den ihr durch addieren oder subtrahieren von Strichen erhaltet. Habt ihr alles gelöst, wisst ihr den Vornamen von Onkel Günter: Er heißt tatsächlich Murray. OMG!

Seite 46:
Am Ende eurer Reise durch den Sternenhimmel findet ihr das flauschige Sternbild Hase. Gut gemacht!

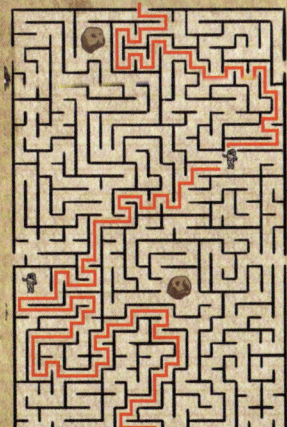

Seite 48:
Malt einfach die Schritte mit einem Stift auf dem karierten Blatt ein. Seid ihr den ganzen Weg entlanggelaufen, erhaltet ihr das nächste Symbol: eine Gießkanne!

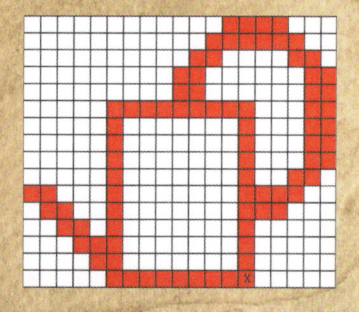

Seite 50:
Eine Pflanze braucht Licht und Wasser.

Seite 52:
Ihr folgt dem längsten Weg, wie es das Buch vorgeschlagen hat und entdeckt den Hubschrauber! Bald seid ihr die Villa los!

Seite 54:

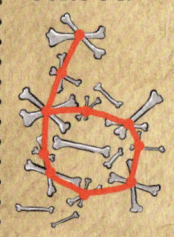

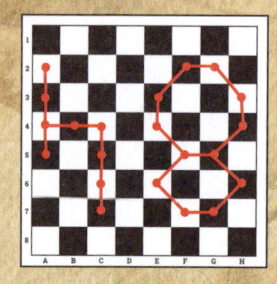

Seite 56:
Findet die Punkte auf dem Schachbrett und verbindet sie. Jetzt nur noch das Brett umdrehen und schon habt hier die Lösung: 84.

Seite 58:

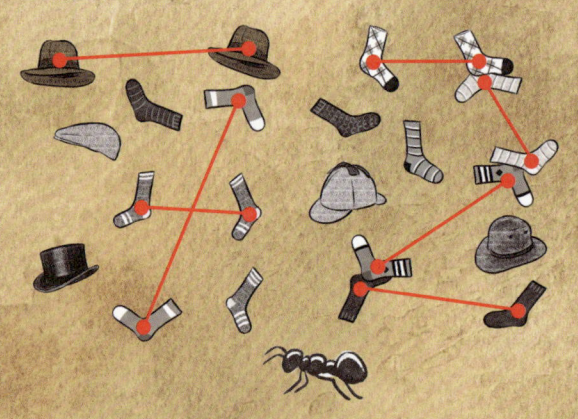

Seite 62:
Olli tanzt den Walzer – er versucht es wenigstens. Am Ende zählt er 37 Schritte. Da es ein Paartanz ist, nehmt ihr die 37 Mal zwei und kommt bei 74 Füßen heraus. Die nächste Seitenzahl ist ‚ertanzt'!

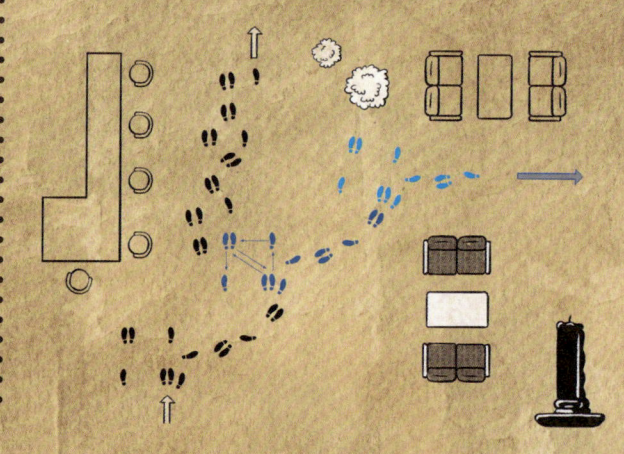

Seite 66:
Der Kerzenleuchter weist euch den Weg:
Er passt nur an einer Stelle perfekt zwischen Symbol und Zahl.
Es geht also auf Seite 86 weiter.

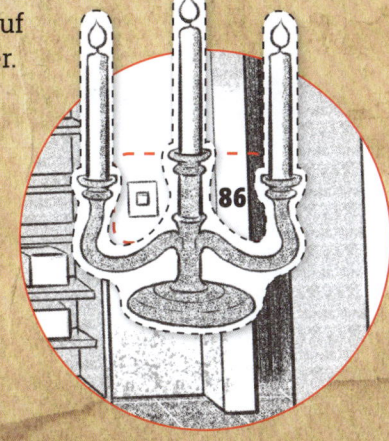

Seite 68:

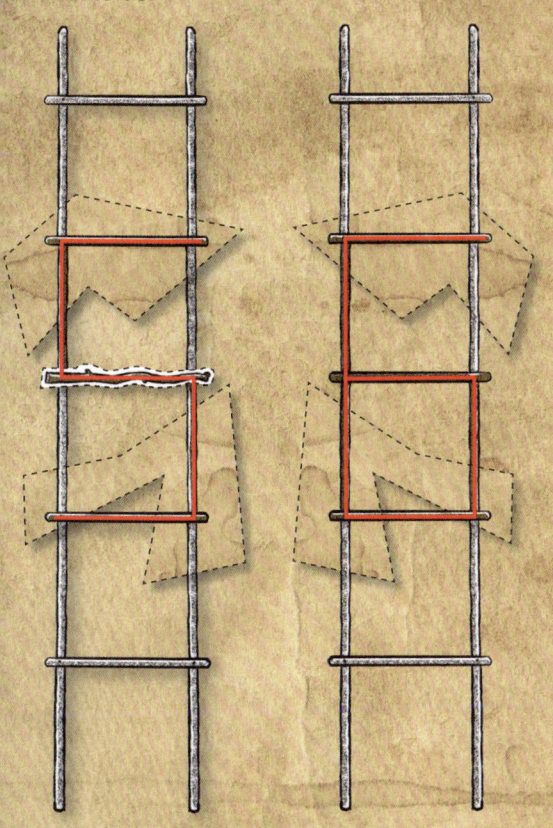

Ihr setzt die Leiter zusammen und benutzt den Zauberstab als fehlende Leitersprosse.
Vorne ergibt sich die Zahl 5 und auf der Rückseite die Nummer 6.
Jetzt wisst ihr, wo es weiter geht.

Seite 72:
Olli nimmt sich viel Zeit und schaut sich eine Ameise nach der anderen durch die vorgefertigte Lupe an. Bei Henry – so nennt er die Ameise – passen die Zeichen von der Lupe mit denen auf dem Zettel des Tieres genau zusammen. Jetzt wisst ihr, wo es weitergeht. Auf Seite 82.

Seite 74:
Emma legt das Streichholz unten links in die Mitte und macht so aus der 0 eine 9. 90 steht da jetzt. Höher geht nicht – jedenfalls nicht mit zwölf Streichhölzern.

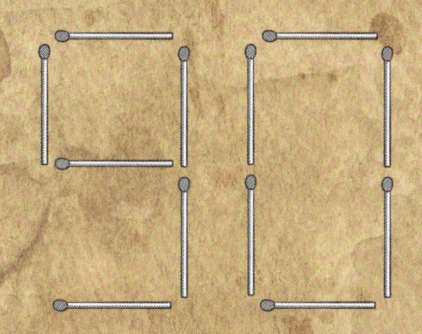

Seite 76:
Du zählst alles genau nach und kommst auf 68 Pence. Die Verteilung der Münzen:
3 x 1 Penny,
3 x 5 Pence,
1 x 10 Pence und
2 x 20 Pence.
- 3x das Kleinste = 3 x 1 Penny.
- Genauso oft das Zweitkleinste = 3 x 5 Penny.
- Das Größte ist doppelt so oft dabei wie das Zweitgrößte = 1 x 10 Pence und 2 x 20 Pence.

Seite 78:
Auf dem linken Bild stehen sieben Bäume. Und rechts fließt der Fluß in den See. Er sieht aus wie eine sechs. Genau! Es ist die 76!

Seite 82:
Für 50 Kekse errechnet ihr die folgenden Verzierungen:
215 g Lakritze
205 g Schokotatzen
245 g weiße Mäuse
Die Waage zeigt 665 Gramm an, aber nur die ersten beiden Ziffern sind sichtbar. Neben euch öffnet sich eine Luke – euer Weg hier raus!

Seite 84:
Ihr löst die Rechenaufgaben und bekommt folgende Lösung:

△ = 4, □ = 8, ○ = 6 und ◇ = 5.

Die zwei roten Zeichen zeigen euch die nächste Seiten an: 58.

Seite 86:
Nach einer kurzen Diskussion einigt ihr euch auf folgende Platzverteilung: Picasso sitzt auf der 5, Du auf der 6 und Emma auf der 7. Neben ihr ist ein Platz frei. Und die Reihe wird durch Olli auf der 9 vervollständigt. „8" ruft Olli! „Das ist der einzige Platz, auf dem niemand von uns sitzt."

Seite 88:
Glücklicherweise hat Olli euch davon abgehalten, euer letztes Rätsel zu essen. Denn so erkennt ihr in den ausgemalten Popcornstücken eine 0. Zusammengesetzt ergeben die Rätsel im Kino als 80, auf dieser Seite geht es weiter.

Seite 90:
Nach und nach füllen sich die Behälter. Da Wasser immer den leichtesten Weg nimmt, wird es zuerst aus dem Behälter fließen, an dem der niedrigste Ausfluss ist. Nummer 78 füllt sich also zuerst.

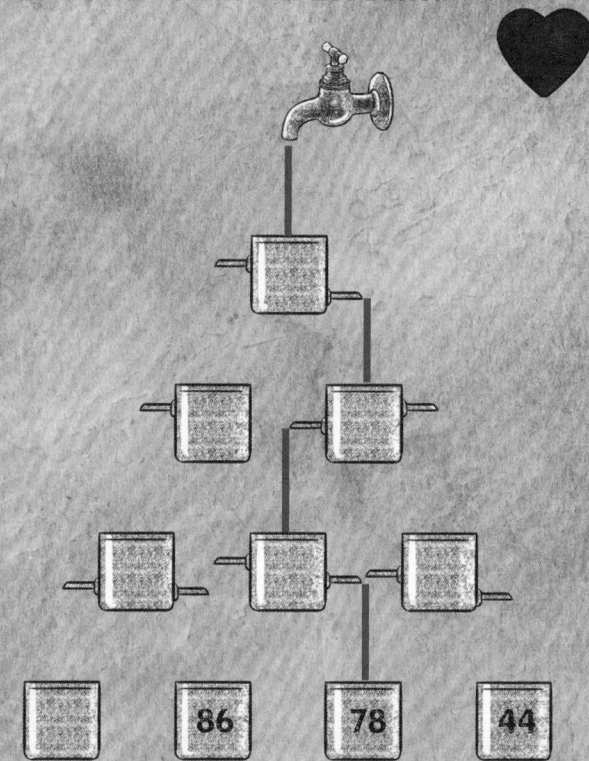